DAWNO,
DAWNO TEMU

A.A. Milne

DAWNO,
DAWNO TEMU

Przełożyła
JOLANTA KOZAK

NASZA KSIĘGARNIA

Dla mojego Wnuka
       Tłumaczka

Niespodziewany gość
odwiedza Króla Euralii
przy śniadaniu

Radowłos, Król Euralii, zasiadł do śniadania na zamkowej baszcie. Uniósłszy złotą pokrywę ze złotego półmiska, wybrał dorodnego pstrąga i przeniósł go starannie na swój złoty talerz. Król był człowiekiem skromnych upodobań, ale gdy ma się ciotkę, która właśnie opanowała zdolność zamieniania wszystkiego w złoto, trzeba jej czasami dać okazję do poćwiczenia, zwłaszcza że zamieniała w złoto, a nie na przykład w gips.

– Aaa – powiedział Król – jesteś, kochaneczko. – Rozejrzał się za serwetką, a tymczasem Księżniczka zdążyła już pocałować go lekko w czubek głowy i siadła na swoim miejscu naprzeciwko.

– Dzień dobry, ojcze – powiedziała. – Spóźniłam się nieco, prawda? Jeździłam konno po puszczy.

– Jakieś przygody? – zapytał Król od niechcenia.

– Nic poza tym, że ranek jest piękny.

– No tak, być może to już nie ten kraj, co dawniej. Kiedy ja byłem młodzieńcem, nie sposób było znaleźć się w puszczy i nie przeżyć tam jakiejś przygody. A te niezwykłości, które się widywało! Czarownice, olbrzymy, karły... To właśnie tam poznałem twoją matkę – dodał w zamyśleniu.

– Szkoda, że nie pamiętam mamy – powiedziała Hiacynta.

Król chrząknął i spojrzał na nią z lekkim zakłopotaniem.

– Już siedemnaście lat, jak umarła, Hiacynto, miałaś wtedy zaledwie pół roku. Zastanawiałem się ostatnio, czy nie popełniam błędu, pozostawiając cię tak długo bez matki.

Księżniczka zdziwiła się.

– Ależ, tato, przecież to nie twoja wina, że mama umarła.

– Och, nie, nie, nie o to mi chodzi. Jak wiesz, porwał ją smok i... no, i tyle. Ale załóżmy – zerknął ku niej wstydliwie – że ożeniłbym się powtórnie.

Księżniczka oniemiała.

– Z kim? – zapytała.

Król zajrzał w głąb swojego pucharu.

– Cóż – odparł – pełno jest ludzi na świecie.

– Gdyby to był ktoś bardzo sympatyczny – powiedziała z namysłem Księżniczka – mogłoby to być nawet całkiem miłe.

Król uważnie studiował wzór na pucharze.

– Dlaczego „mogłoby być"? – zapytał.

Księżniczka trwała w zdumieniu.

– Bo przecież jestem dorosła – odrzekła. – Teraz już tak bardzo nie potrzebuję matki.

Król przekręcił puchar i przyjrzał mu się uważnie z drugiej strony.

– Troskliwa... yyy... ręka matki – bąknął – nigdy... yyy... – i właśnie wtedy wydarzył się skandal.

Wszystkiemu winien był prezent, który Król Barodii dostał na urodziny, a prezentem tym była ni mniej, ni więcej, tylko para siedmiomilowych butów. Ponieważ Król był akurat bardzo zajęty, upłynął tydzień lub nawet więcej, zanim miał okazję przymierzyć nowe buty. Przedtem tylko opowiadał o nich przy obiedzie i pucował je co wieczór przed pójściem do łóżka. Kiedy nadszedł wielki dzień pierwszej próby butów, Król wyniośle pożegnał żonę i resztę rodziny, zignorował tłum ciekawskich nosów rozpłaszczonych o szyby okien Pałacu i żwawo puścił się w drogę. Jak wam zapewne wiadomo, ten rodzaj poruszania się jest z początku trochę zaskakujący, ale można się do niego szybko przyzwyczaić. Potem jest wspaniale. Król przemierzył jakieś dwa tysiące mil, zanim przyszło mu do głowy, że może mieć kłopoty ze znalezieniem drogi powrotnej. Kłopoty okazały się co najmniej tak poważne, jak to sobie wyobrażał. Przez resztę dnia wędrował tam i z powrotem po całym kraju i tylko czysty przypadek sprawił, że wczesnym rankiem, bardzo rozzłoszczony, wpadł w otwarte okno pałacowej spiżarni. Zdjął buty i pokornie udał się do łóżka.

Była to dla niego dobra nauczka. Postanowił w przyszłości podróżować wyłącznie po wytyczonych trasach, prowadzących od jednego punktu orientacyjnego do drugiego. Takie trasy opracowali mu Nadworni Geografowie – każda odpowiednia akurat na poranny spacerek, długości około trzystu mil, do dziesięciokrotnego przemierzenia przed śniadaniem. Król zrobił sobie tydzień przerwy na ukojenie nerwów, a potem wyruszył na pierwszą z tras.

Królestwo Euralii graniczyło z Królestwem Barodii; Barodia była krainą płaską, Euralię zaś pokrywały wzgórza. Nic więc dziwnego, że Nadworni Geografowie w poszukiwaniu punktów orientacyjnych zwrócili uwagę na Euralię. I nad Euralią właśnie, w porze gdy w chatach i pałacach spożywano śniadanie, wznosił się i opadał, wznosił i opadał Król Barodii.

– Troskliwa... yyy... ręka matki – rzekł Król Euralii – nigdy... yyy... wielkie nieba! A to co takiego?

Nastąpił gwałtowny podmuch powietrza, coś na moment znalazło się między Jego Wysokością a słońcem, po czym wszystko wróciło do normy.

– Co to było? – zapytała Hiacynta z lekkim niepokojem.

– Wielce niezwykłe – odparł Król. – Mam wrażenie, że dostrzegłem rude wąsy i ogromne buty. Czy znamy kogoś, kto tak wygląda?

– Król Barodii – powiedziała Hiacynta – ma rude wąsy, ale na temat jego butów nic nie potrafię powiedzieć.

– A cóż by on mógł robić tam w górze? Chyba że...

Nastąpił kolejny podmuch, tym razem z przeciwnej strony; znowu coś przesłoniło słońce – i nagle wszyscy wyraźnie ujrzeli oddalające się pośpiesznie plecy Króla Barodii, który zdążał do domu na śniadanie.

Radowłos wstał z godnością.

– Masz zupełną rację, Hiacynto – rzekł surowo.
– To istotnie był Król Barodii.

Hiacynta wyglądała na zakłopotaną.

– Nie powinno się aż tak szybko latać nad cudzym śniadaniem, prawda, ojcze?

– Popisał się żałosnymi manierami, moja złota. Pójdę teraz i wystosuję do niego notę protestacyjną. Należy przestrzegać protokołu.

Z najbardziej surową miną, na jaką pozwalało jego z natury jowialne oblicze, i z wahaniem, czy aby właściwie użył słowa „protokół", Król oddalił się do biblioteki.

Biblioteka była ulubionym apartamentem Jego Królewskiej Mości. Tu właśnie dyskutował co rano o polityce ze swoim Kanclerzem, tu przyjmował znakomitych gości, którzy przybywali do jego Królestwa w poszukiwaniu przygód, tutaj też popołudniami oddawał się rozmyślaniom, przerzucając broszurę „Jak rozmawiać z czarownikiem" lub inne dzieło wyjęte z półki na chybił trafił.

Najwięcej zaś tematów do medytacji w godzinach popołudniowych dostarczali mu znakomici goście, których przyjął rankiem. Aktualnie rozmyślał o siedmiu różnych książętach, którym wyznaczył siedem różnych niebezpiecznych zadań, każdemu z nich obiecując w nagrodę rękę Hiacynty i pół Królestwa. Nic więc dziwnego, że uznał, iż córka potrzebuje opiekuńczej ręki matki.

Nocie Protestacyjnej do Barodii nie było dane zostać napisaną. Król wciąż wahał się nad wyborem jednej z dwóch stalówek, kiedy drzwi raptownie rozwarły się na oścież i zaanonsowano złowieszcze imię Hrabiny Bellafrygi.

Hrabina Bellafryga! Jakże mam wam opisać tę wspaniałą, straszliwą, fascynującą kobietę? Opętana ambicjami i nieprzebierająca w środkach, które mogłyby doprowadzić ją do celu, zdradzała również ujmująco ludzkie słabostki, przejawiające się w pasji prowadzenia dziennika i skłonności do najprostszych form lirycznych. Nie wątpię, że to właśnie ona jest złym duchem tej opowieści – w swoim dziele pod tytułem „Euralia wczoraj i dziś" Roger Krzywonóżko nie oszczędza jej ani trochę – ale nigdy nie ważyłbym się zaprzeczyć, że i ona miała swoje wielkie zalety.

11

Tego ranka pisała wiersze, ubrana więc była na zielono. Zawsze nosiła się na zielono, kiedy nachodziła ją muza: pożyteczny obyczaj, który jako ostrzeżenie czy też inspirację dobrze byłoby upowszechnić wśród współczesnych poetów. Pod pachą miała olbrzymi dziennik, a w myślach kilka wersji spostrzeżeń, które nasunęły się jej w drodze do Pałacu.

– Dzień dobry, droga Hrabino – rzekł Król, z nieukrywaną radością porzucając stalówki. – Cóż za wczesna wizyta!

– Wasza Wysokość nie ma mi tego za złe? – zapytała skwapliwie Hrabina. – W naszej wczorajszej rozmowie był punkt, co do którego nie jestem całkiem pewna...

– A o czym to mówiliśmy wczoraj?

– Och, Wasza Wysokość – odrzekła Hrabina – o polityce. – I posłała mu spojrzenie zarazem przebiegłe, niewinne, bezwstydne i kokieteryjne, któremu nigdy nie potrafił się oprzeć, a i wy – jeśli o tym mowa – także byście nie potrafili.

– O polityce, naturalnie – uśmiechnął się Król.

– Zrobiłam nawet specjalny wpis do dziennika.

Położyła przed nim ogromną księgę i przerzuciła kilka kartek.

– O, jest! *Wtorek. Jego Wysokość obdarzył mnie zaszczytem konsultacji na temat przyszłości swej córki, Księżniczki Hiacynty. Został na podwieczorku i był nad wyraz...* Nie mogę odczytać tego słowa.

– Proszę mi pokazać – zaproponował Król, którego rumiane oblicze stało się nagle jeszcze bardziej rumiane. – Wygląda jak „czarujący" – rzucił niedbale.

– Coś podobnego! – wykrzyknęła Hrabina. – A więc tak napisałam? Piszę zawsze to, co akurat przychodzi mi do głowy. – Wykonała dłonią gest charakteryzujący osobę, która zawsze pisze to, co akurat przychodzi jej do głowy, i wróciła do lektury dziennika: – *Został na podwieczorku i był nad wyraz czarujący. Dumałam potem nad zmiennością ludzkich losów!* – Spojrzała na Króla szeroko otwartymi oczami. – Często dumam, gdy zostaję sama – wyjaśniła.

Król cały czas krążył wokół dziennika.

– Czy ma tu pani więcej takich zapisów jak... jak ten ostatni? Można rzucić okiem?

– Och, Wasza Wysokość! Obawiam się, że to sprawy zbyt intymne. – Pośpiesznie zamknęła księgę.

– Dostrzegłem, zdaje się, jakieś wiersze – powiedział Król.

– To tylko mała oda do ulubionej makolągwy. Z pewnością nie zaciekawiłaby Waszej Królewskiej Mości.

– Ubóstwiam poezję – zaprotestował Król, który sam ułożył niegdyś rymowany dwuwiersz dający się recytować do przodu lub wspak, przy czym ten drugi sposób skutecznie likwidował czary. Według znakomitego dziejopisa Krzywonóżki, dwuwiersz ten cieszył się w Euralii niemałym powodzeniem, a brzmiał on następująco:

Ba, bi, bo, bam.
La, li, lo, lam.

Treść sympatyczna, forma ujmująca prostotą.

Hrabina oczywiście tylko udawała. Tak naprawdę, miała wielką chęć odczytać swój wiersz.

– To taki drobiazg – powiedziała.

Witaj, o makolągwo!
Tyś to owym ptakiem,
Który swe czułe serce
Wylewa hen za krzakiem!
I wiedzie w pieśń skrzydlaty chór
Głosem nie byle jakim.

14

- Przepiękne - powiedział Król i trudno się z nim nie zgodzić. W wiele lat później poeta nazwiskiem Shelley popełnił plagiat, wykorzystując ten sam pomysł, przy czym uważam, że w jego wierszu było znacznie więcej sztuczności, a znacznie mniej uroku.

- Czy ten ptaszek naprawdę istniał? - zainteresował się Król.

- To mój dawny ulubieniec.

- Podobało mu się?

- Niestety, Wasza Wysokość, zmarł, nie wysłuchawszy wierszyka.

- Biedny ptaszek! - powiedział Król. - Myślę, że byłby zachwycony.

W tym czasie Hiacynta, nie wiedząc, że macocha jest być może tuż-tuż, dalej siedziała na baszcie, usiłując skończyć śniadanie. Ale nie bardzo jej się to udawało. Ostatecznie jest rzeczą naprawdę denerwującą bez przerwy odrywać wzrok od bekonu czy innych smakołyków po to, by znów zobaczyć obcego monarchę, który jakby nigdy nic przeskakuje człowiekowi nad głową. Jeszcze osiemnaście razy przemknął Król Barodii nad Hiacyntą. Kiedy zakończył swój pokaz, Hiacynta, której kręciło się już od tego w głowie, poszła do ojca.

15

Znalazła go w bibliotece samego, z głupkowatym uśmiechem na twarzy. Nigdzie nie było śladu Noty Protestacyjnej do Barodii.

– Wysłałeś już tę notę? – zapytała.

– Notę? Notę? – powtórzył oszołomiony Król. – Co za... ach, mówisz o Nocie Protestacyjnej do Króla Barodii? Właśnie ją układam, kochaneczko. Trudno utrafić we właściwy ton nagany połączonej z kurtuazją.

– Nie bawiłabym się w kurtuazję – powiedziała Hiacynta. – Po twoim odejściu on przeleciał jeszcze osiemnaście razy.

– Osiemnaście, osiemnaście, osiem... Moja droga! Ależ to zniewaga!

– Jeszcze nigdy nie miałam tylu odwiedzin podczas jednego śniadania.

– To wielce oburzające, Hiacynto. Nie czas na noty. Porozmawiamy z nim językiem, który na pewno zrozumie.

I Król oddalił się, aby pomówić z Kapitanem swoich łuczników.

Kanclerz Barodii
ma daleko do domu

I znowu był wczesny ranek na zamkowych murach.

Król siedział przy zastawionym do śniadania stole, a przed nim prężył się zastęp łuczników.

– Myślę, że się rozumiemy – mówił Król. – Kiedy Król Baro... kiedy powiem... no, kiedy powiem „już", chcę, żebyście wszyscy wystrzelili w powietrze. Nie musicie w nic celować; macie po prostu wypuścić strzały w górę, a ja... tego... zobaczę, kto strzeli najwyżej. Gdyby coś... tego... gdyby coś przelatując, otarło się o jakąś strzałę... chociaż to oczywiście niemożliwe... to... tego... wtedy to... by się o nią otarło. Ale co by się mogło otrzeć?

– Otóż to, Wasza Wysokość – przyznał Kapitan.
– A raczej: otóż nic.

– Dziękuję. Na posterunki.

Każdy z łuczników założył strzałę do łuku i zajął swoją pozycję. Jednego postawiono na warcie. Wszystko było gotowe.

Król był wyraźnie zdenerwowany. Chodził od jednego łucznika do drugiego, wypytywał o żonę i rodzinę, chwalił za pięknie wypolerowany kołczan, radził zwrócić się bardziej plecami do słońca. Od czasu do czasu biegł do odległej wieżyczki wartownika, by pokazać mu na horyzoncie Barodię, i pośpiesznie wracał.

Wartownik wiedział, o co chodzi.

– Leci, leci! – wrzasnął nagle.

– Już! – ryknął Król, a chmara strzał wyfrunęła w powietrze.

– Cudownie! – zawołała Hiacynta, klaszcząc w dłonie. – Chciałam powiedzieć: jak tak można! Mogliście go zranić.

– Hiacynto – rzekł Król, robiąc gwałtowny zwrot w tył. – Ty tutaj?

– Właśnie przyszłam. Trafiliście go?

– Kogo?

– Króla Barodii, a kogo?

– Króla... Moje drogie dziecko, a cóż mógłby tutaj robić Król Barodii? Moi łucznicy mierzyli w jastrzębia, którego dostrzegli w oddali. – Gestem dłoni przywołał Kapitana. – Czyście trafili tego jastrzębia? – zapytał.

– Tylko jedną strzałą, Wasza Wysokość. W wą... w ogon.

Król odwrócił się do Hiacynty.

– Tylko jedną strzałą w wą... w ogon – powiedział. – Co takiego mówiłaś, moja złota, o Królu Barodii?

– Och, ojcze, jesteś niedobry. Postrzeliliście biedaka w same wąsy.

– Jego Wysokość Króla Barodii? I to w wąsy? Moje drogie dziecko, to straszne! Ale cóż on mógł robić tam w górze? Coś takiego, coś takiego, to doprawdy niemiła historia. Muszę wystosować w tej sprawie notę przepraszającą.

– Myślę, że to on pierwszy powinien przysłać notę – wtrąciła Hiacynta.

– Tak, tak, masz rację. Bez wątpienia zechce wyjaśnić, jak się tutaj znalazł. Chwileczkę, kochanie.

Podszedł do łuczników, ponownie już ustawionych w szeregu.

– Możecie zabrać swoich ludzi – rzekł do Kapitana.

– Rozkaz, Wasza Wysokość.

Jego Wysokość chyłkiem rozejrzał się po murach, po czym konfidencjonalnie pochylił się ku Kapitanowi.

– Tego... który to... tego – podrapał się w policzek – tego... no właśnie. Ten z lewej? Ach, tak.

Podszedł do łucznika po lewej i włożył mu w dłoń sakiewkę złota.

– Świetnie sobie radzicie z łukiem, mój żołnierzu. Macie znakomicie sprawne przeguby. Nigdy jeszcze nie widziałem, żeby strzała poszybowała tak wysoko.

Zastęp łuczników zasalutował i odmaszerował. Król i Hiacynta zasiedli do śniadania.

– Kiełbika, kochaneczko? – zaproponował Król.

Wielki Kanclerz Barodii (tytuł ten przechodzi z ojca na syna) nigdy nie zapomniał owego ranka, a i swojej żonie nie pozwolił go zapomnieć. Gdy mówił: „To mi przypomina dzień, w którym..." – dla gości był to sygnał do wyjścia, ale rodzina Kanclerza nie miała, niestety, możliwości ucieczki. Musiała wysłuchać do końca.

Był to dla Kanclerza dzień wielce pracowity. Wezwany do Pałacu o dziesiątej, znalazł Króla w najgorszym humorze, głaszczącego złamany wąs.

Jego Wysokość obstawał za wojną, Kanclerz zaś skłaniał się ku nocie protestacyjnej.

– Wasza Wysokość – błagał. – Niech mi przynajmniej wolno będzie poszukać precedensu.

– Nie ma precedensu – zmroził go Król – dla takiej zniewagi jak ta.

– Nie identyczne, Wasza Wysokość, ale podobne nieszczęśliwe zdarzenia już się... zdarzały.

– To było coś gorszego niż zdarzenie.

– Rzekłbym: zniewaga, Wasza Wysokość. Nieodżałowany dziadek Waszej Wysokości miał nieszczęście ulec czarom Króla Arabii, wskutek których zmuszony był – czy też może rzec powinienem: miał honor – przez parę tygodni chodzić na czworakach. Wasza Wysokość raczy przypomnieć sobie łaskawie, że lud, powodowany serdecznym oddaniem monarsze, przyjął podobny sposób poruszania się. I mimo że przypadek Waszej Wysokości nie jest na czworakach...

– W żadnym razie nie na czworakach – uzupełnił chłodno Król.

– Nieszczęsna metafora; chciałem powiedzieć, że choć przypadek Waszej Wysokości nie jest analogiczny, postępowanie przyjęte w sprawie czcigodnego dziadka Waszej Wysokości...

– Nie obchodzi mnie, co ty robisz ze swoimi wąsami, nie obchodzi mnie, co ktokolwiek robi ze swoimi wąsami – wycedził Król, wciąż głaszcząc złamany wąs. – Chcę krwi Króla Euralii. – Potoczył wzrokiem po komnacie. – Każdemu, kto przyniesie mi jego głowę, oddam rękę mojej córki.

Zapadła głęboka cisza.

– Której córki? – odezwał się w końcu nieśmiały głos.

– Najstarszej – odparł Król.

Znów zapadła głęboka cisza...

– Osobiście proponowałbym, Wasza Wysokość – powiedział Kanclerz – aby na razie poprzestać na wymianie not dyplomatycznych, a my w tym czasie przeczeszemy Królestwo w poszukiwaniu czarnoksiężnika, który pięknie zemści się za to, co zaszło, na Jego Wysokości Królu Euralii. Na przykład, Najjaśniejszy Panie, król, którego głowa na zawsze zostanie odwrócona do góry nogami, straci nieco ze swego monarszego dostojeństwa, a przecież ono jedynie zapewnia mu szacunek poddanych. Albo twarz z dwoma nosami, każdy pod innym kątem, tak że nie sposób wytrzeć obu za jednym zamachem...

– Tak, tak – przerwał mu Król niecierpliwie. – Już ja coś wymyślę, znajdźcie mi tylko czarnoksiężnika. Ale w dzisiejszych czasach niełatwo będzie go znaleźć. Poza tym czarnoksiężnicy bywają kapryśni. Zdarza im się zapomnieć, po czyjej są stronie.

Kanclerz zrobił żałosną minę.

– No dobrze – powiedział Król pojednawczo. – Zrobimy tak: możesz wysłać jedną notę protestacyjną, a potem wypowiemy wojnę.

– Dzięki, Wasza Miłość – odrzekł Kanclerz.

Tak więc nota protestacyjna została wysłana. Podkreślono w niej fakt, że jego Wysokość Król Barodii został poważnie ugodzony strzałą podczas porannego spaceru. Strzała ta, choć na szczęście ominęła bardziej zasadnicze partie ciała Królewskiej Osoby, nie zawahała się dosięgnąć jego ulubionego wąsa.

Za co żąda się pełnej satysfakcji... i tak dalej, i tak dalej.

Na odpowiedź z Euralii nie czekano długo. Zawierała ona wyrazy najgłębszego współczucia z racji przykrego incydentu, którego ofiarą padł zaprzyjaźniony monarcha. Krytycznego poranka łucznicy Jego Wysokości odbywali zawody w strzelaniu do szybującego w oddali jastrzębia. Zawody te – co się podaje jako fakt mogący zainteresować

23

Jego Wysokość Króla Barodii – wygrał wielce obiecujący łucznik, Henryk Perkatek. Podczas zawodów zauważono, że jakieś nieokreślone obce ciało otarło się o jedną ze strzał, ale ponieważ nie miało to wpływu na ostateczne wyniki konkursu, incydent uznano za niebyły. Jego Wysokość Król Barodii może być pewny, że Król nie miał złych zamiarów. Przeciwnie, będzie mu zawsze bardzo miło powitać w podobnych okolicznościach władcę Barodii. Kolejne zawody łucznicze będą organizowane nadal od czasu do czasu i gdyby Jego Wysokość akurat był w pobliżu, Król Euralii wyraża nadzieję, że zechce obniżyć lot i wziąć w nich udział. Ufny, że Jej Królewska Mość i Ich Książęce Mościе mają się dobrze... i tak dalej, i tak dalej.

Wielki Kanclerz Barodii przeczytał tę odpowiedź z uczuciem wielkiej niepewności. To przecież on wystawił Jego Wysokość na tę nową zniewagę; a więc jeśli nie zdoła załagodzić wrażenia, ranek w Pałacu może się dla niego okazać bardzo przykry.

Ledwie wszedł w obręb Pałacu, zaczął się zastanawiać, czy Król włożył tego dnia swoje słynne buty i czy te buty potrafią równie daleko kopać, jak kroczyć – też na odległość siedmiu mil. Coraz bardziej utwierdzał się w mniemaniu, że bywają noty,

które można traktować lekko, ale są i takie, z któ-
rymi się to nie udaje...

W pięć minut później, kiedy rozpoczynał dwu-
dziestojednomilowy marsz do domu, wiedział już
na pewno, że z tą nie mogło się udać.

Taka oto była prawdziwa przyczyna wojny między Euralią a Barodią. Wiem, że wyrażając niniej-
szą opinię, sprzeciwiam się wersji słynnego dziejo-
pisarza, Rogera Krzywonóżki. W rozdziale IX swego wiekopomnego dzieła „Euralia wczoraj i dziś"
historyk ów przypisuje spór między dwoma pań-
stwami zdarzeniom zgoła innym. Twierdzi mianowicie, że Król Barodii zażądał ręki Księżniczki Hiacynty dla swego najstarszego syna. Król Euralii
postawił jeden ze zwykłych w podobnych okolicznościach warunków; zdaje się, że chodziło o to, by
Jego Książęca Mość wjechał najpierw konno na po-
bliską szklaną górę – któremu to warunkowi Król
Barodii kategorycznie się sprzeciwił. Obawiam się
jednak, że Krzywonóżko był niepoprawnym ro-
mantykiem; już nieraz mu to wypominałem. W całej tej historii nie było ani krzty sentymentalizmu,
a fakty przedstawiały się dokładnie tak, jak je opo-
wiedziałem.

Król Euralii
dobywa miecza

Zgadliście już bez wątpienia, że to Hrabina Bellafryga podyktowała Królowi Euralii odpowiedź na notę z Barodii. Sam Radowłos napisałby mniej więcej tak: „No i dobrze ci tak, po co się szwendasz nad moim Królestwem". Jego repliki nigdy nie bywały zbyt subtelne. Hiacynta odpowiedziałaby: „Naprawdę strasznie nam przykro, ale wąs to jeszcze nic groźnego, prawda? A poza tym nie wypada pojawiać się na śniadaniu, jeśli się nie było zaproszonym". Kanclerz długo drapałby się po głowie, a w końcu napisałby: „Zgodnie z rozdz. VII par. 259 Regulaminu Królewskiego, należy stwierdzić...".

Ale Bellafryga miała własny styl. I jeśli podejrzewacie, że chciała uczynić wypowiedzenie wojny nieodwracalnym, to... dalsza opowieść przekona was, czy mieliście rację, podejrzewając ją o niecne zamiary. Troszkę się wszystko skrupiło na Kanclerzu Barodii, ale tak to już bywa, że niewinni cierpią za ambicje tych, którzy nie mają zasad – maksymę tę zapożyczyłem z „Euralii wczoraj i dziś" (Krzywonóżko moralizuje).

– A więc – rzekł Radowłos do Hrabiny – stało się.

– Naprawdę wojna? – spytała Bellafryga.

– Tak jest. Hiacynta właśnie szuka mojej zbroi.

– Jak odpowiedział Król Barodii?

– Nic nie odpowiedział. Czerwonym atramentem wypisał WOJNA na brudnym skrawku papieru, który przypiął do ucha mojego posłańca i tak go do mnie odesłał.

– Fe, jakie to prostackie – powiedziała Hrabina.

– Ja także uznałem to za dość... tego... dosadne – przyznał Król nieszczerze. W cichości ducha uważał pomysł Króla Barodii za znakomity i żałował, że to nie on sam na niego wpadł.

– Wymowa podobnych faktów – uśmiechnęła się czarująco Hrabina – zależy w ogromnej mierze od tego, kto jest ich sprawcą. W wykonaniu Waszej Królewskiej Mości byłby to czyn pełen słusznej dumy.

– Musiał być bardzo wściekły – powiedział Król, podnosząc to jeden, to drugi z całego arsenału mieczy, które przed nim leżały. – Żałuję, że nie widziałem jego miny, kiedy czytał moją notę.

– Ja też – westchnęła Hrabina. Żałowała tego znacznie bardziej niż Król.

Tragedia pisania dobrych listów polega na tym, że nie można być na miejscu, kiedy adresat je otwiera – to moja własna maksyma, podobna myśl nie powstałaby w głowie Krzywonóżki, który był bardzo nudnym korespondentem.

Król wciąż brał i odkładał kolejne miecze.

– To bardzo dziwne – wymamrotał. – Ciekawe, czy Hiacynta... – Podszedł do drzwi i zawołał: – Hiacynto!

– Idę, ojcze! – odkrzyknęła Hiacynta z wyższego piętra.

Hrabina wstała i wykonała głęboki dyg.

– Do zobaczenia, Wasza Królewska Mość.

– Dzień dobry, Hrabino – powiedziała radośnie Hiacynta. Lubiła Bellafrygę (trudno się było jej oprzeć), chociaż wolałaby jej nie lubić.

– Dobrze, że jesteś, Hiacynto! – ożywił się Król. – Pomóż mi z tymi mieczami. Który z nich jest magiczny?

Hiacynta spojrzała na niego oszołomiona.

– Ależ, ojcze – powiedziała – ja nie mam pojęcia. Czy to aż tak ważne?

– Moje drogie dziecko, oczywiście, że ważne. Przypuśćmy, że starłem się z Królem Barodii: jeśli mam magiczny miecz – muszę wygrać. Jeśli go nie mam – nie muszę.

– A gdybyście obaj mieli magiczne miecze? – wtrąciła Bellafryga. To była uwaga w jej stylu.

Król z wolna podniósł na nią wzrok i zadumał się nad tą koncepcją.

– No tak – przyznał. – O tym nie pomyślałem. Na honor, ja... – Zwrócił się do córki: – Hiacynto, co by się stało, gdybyśmy obaj mieli magiczne miecze?

– Przypuszczam, że walczylibyście bez końca.

– Albo do chwili, gdy jeden z mieczy straciłby swą magiczną moc – podpowiedziała Hrabina z miną niewiniątka.

– Coś gdzieś musi być napisane na ten temat – powiedział Król, któremu sugestia Hrabiny zamąciła pogodny poranek. – Każę Kanclerzowi sprawdzić, tylko że on jest teraz taki zajęty.

– Będzie miał mnóstwo czasu, kiedy walka się już zacznie – powiedziała przytomnie Hrabina.

Urocze stworzenie! Już widziała, jak Kanclerz spieszy z wiadomością o zwycięstwie Króla Euralii, podczas gdy ten, dokładnie w tej samej chwili, rozciąga się na ziemi pod śmiertelnym ciosem przeciwnika.

Król wrócił do swoich mieczy.

– Wszystko jedno, swojego miecza muszę być pewny – powiedział. – Hiacynto, zupełnie nie masz pojęcia, który to może być? – I rozżalony dodał: – Przecież tobie powierzyłem oznakowanie moich mieczy.

Księżniczka oglądała jeden miecz po drugim.

– O, jest! – ucieszyła się. Ma tu literę „M" – „magiczny".

– Albo „monarszy" – bąknęła Hrabina do swojego dziennika.

Oblicze Króla, które rozjaśniło się radością na wieść o dokonanym przez jego córkę odkryciu, natychmiast spochmurniało.

– Nie jesteś nam dziś zbyt pomocna, Hrabino – stwierdził surowo.

Hrabina natychmiast zerwała się na równe nogi, dziennik spadł – nie, nie spadł: łagodnie zsunął się na ziemię – a ona sama, z dłońmi zaciśniętymi na piersi, stanęła przed Królem w pozie skruchy.

– Ach, Wasza Wysokość, proszę mi darować, gdyby Wasza Wysokość spytał mnie... nie wiedziałam, że Wasza Wysokość chce, żebym ja... myślałam, że Jej Książęca Mość... Ależ, naturalnie znajdę miecz Waszej Wysokości.

Czy mówiąc to pogłaskała go po głowie? Często się nad tym zastanawiałem. Byłoby to zgodne z jej zuchwalstwem i uczuciami macierzyńskimi, a także z jej... krótko mówiąc, z jej stylem. „Euralia wczoraj i dziś" milczy na ten temat.

Krzywonóżko, który widział Bellafrygę tylko raz, i to gdy miała ona dwa lata, na pewno – gdyby mógł – zinterpretowałby ten incydent na jej niekorzyść. Ponieważ go jednak nie wspomina – może nic takiego się nie wydarzyło.

– Oto on! – obwieściła Hrabina, natychmiast identyfikując magiczny miecz.

– W takim razie ja wracam do swoich zajęć – oznajmiła wesoło Hiacynta, pozostawiając ich sam na sam.

Król z radosnym uśmiechem przypasał miecz. Nagle jednak opadły go gwałtowne wątpliwości.

– Pewnaś, Hrabino, że to ten?

– Wypróbuj go na mnie, Wasza Miłość! – zawołała porywczo Hrabina, padając na kolana i wyciągając ku niemu ramiona. Czubek bucika oparła o dziennik, gdyż jego bliskość podnosiła ją na duchu. Klęcząc tak, widziała już w wyobraźni, jak opisuje tę scenę. Jak się pisze „zamążpójście"? – zastanawiała się.

Myślę, że Król już wówczas był w niej zakochany, choć przelanie uczucia w słowa przychodziło mu z niemałym trudem. Ale zakochany był najwyżej od tygodnia lub dwóch – dwa tygodnie na czterdzieści lat życia – podczas gdy z mieczem obcował od chwili, gdy ukończył lat dwanaście. W krytycznej chwili stara miłość zwycięża miłość wielką (to z Krzywonóżki, ale chyba się z nim zgadzam), więc Król instynktownie dobył miecza.

Jeśli był to miecz magiczny, nawet niewielkie skaleczenie byłoby śmiertelne. Niebawem miał się przekonać.

Wrogowie Hrabiny twierdzili, że nie potrafi ona zblednąć; Bellafryga miała swoje wady, o tę jednak nie można było jej posądzić. Zbladła jak papier, kiedy zobaczyła nad sobą Króla ze wzniesionym mieczem. Sto myśli naraz przeleciało jej przez głowę. Zadała sobie pytanie, czy Król będzie potem

żałował; zadała sobie pytanie, co też będą wyśpie-
wywać o niej rybałci i czy jej dziennik zostanie kiedykolwiek opublikowany; ale przede wszystkim
zadała sobie pytanie, dlaczego była taka głupia, tak
niedorzecznie głupia.

Nagle Król otrzeźwiał, wstrząsnąwszy się gwałtownie. Z lekka zawstydzony, schował miecz na
powrót do pochwy, odchrząknął raz czy dwa, aby
pokryć zamieszanie, po czym wyciągnął dłoń do
Hrabiny, by pomóc jej się podnieść.

– Nie bądź śmieszna, Hrabino – powiedział. –
Jakżebyśmy sobie bez ciebie poradzili w tak nagłej
potrzebie? Siadaj i omówmy wszystko poważnie.

Nieco oszołomiona tym, co przed chwilą zaszło,
Bellafryga usiadła, mocno ściskając w ramionach
ukochany dziennik. Życie wydawało jej się w tej
chwili wyjątkowo cudowne, a przyszłość miała jeden tylko drobny mankament: ten mianowicie, że
rybałci jednak nie będą układali o niej pieśni. Cóż,
nie można mieć wszystkiego naraz.

Król, mówiąc, przemierzał komnatę w tę i z powrotem.

– Ruszam do boju – powiedział – pozostawiając tu ukochaną córkę. Pod moją nieobecność rządy sprawować będzie, naturalnie, Jej Książęca

Wysokość. Chciałbym jednak, aby miała pewność, że zawsze może polegać na twojej, Hrabino, radzie i pomocy. Wiem, że mogę ci zaufać, gdyż właśnie dałaś mi wspaniały dowód swej lojalności i odwagi.

– Och, Wasza Wysokość! – żachnęła się Bellafryga, w głębi duszy uradowana, że jej czyn nie poszedł na marne.

– Hiacynta jest młoda i niedoświadczona. Potrzeba jej...

– Troskliwej matczynej ręki – dokończyła cicho Bellafryga.

Król drgnął i odwrócił wzrok. Było już doprawdy zbyt późno na oświadczyny; tyle jeszcze zostało do zrobienia przed jutrzejszym dniem. Lepiej odłożyć tę sprawę na po wojnie.

– Nie będziesz piastować żadnego oficjalnego stanowiska – ciągnął pospiesznie – poza swoją obecną funkcją Ochmistrzyni. Nie wątpię jednak, że twój wpływ na księżniczkę będzie ogromny.

Hrabina była o tym przekonana. Istnieje wszakże grymas wyrażający poświęcenie się niechcianym obowiązkom, stosowny na tego typu okazje, i Hrabina nie omieszkała przywołać go na twarz.

34

– Zrobię wszystko, co w mojej mocy, Wasza Wysokość, aby pomóc Księżniczce, i to z największą radością, ale czy Kanclerz nie będzie...

– Kanclerz wyrusza ze mną. Wojownik z niego żaden, ale ma smykałkę do czarów. – Rozejrzał się wokół, sprawdzając, czy są sami, po czym dodał konfidencjonalnie: – Mówił mi, że w archiwach pałacowych znalazł Czar Wspak wielkiej mocy. Gdyby zdołał rzucić go na wroga w pierwszym natarciu, nasza waleczna armia nie miałaby, jak sądzę, kłopotów z wygraną.

– Ale w kraju zostaną inni uczeni panowie – ciągnęła niewinnie Bellafryga – znacznie bieglejsi w sprawach polityki niż my, słabe kobiety, znacznie lepiej mogący (cóż ja za głupstwa wygaduję! – zbeształa się w duchu) służyć radą Jej Książęcej Wysokości...

– Ci również będą mi potrzebni – odparł Król. – Jeśli mam najeżdżać Barodię jak należy, potrzebny mi będzie każdy mężczyzna Królestwa. Euralia musi na ten czas pozostać państwem kobiet. – Uśmiechnął się do Bellafrygi i dodał z galanterią: – To będzie... eee... To jest... eee... nie jest... eee... Można z całą pewnością... eee...

Jego zachowanie najwyraźniej dowodziło, że ciśnie mu się na usta jakiś komplement, i Bellafryga zdecydowała, że uprzejmie będzie przerwać mu w tym miejscu.

– Och, Wasza Wysokość zanadto pochlebia naszej płci – powiedziała.

– W żadnym razie – zaoponował Król, usiłując przypomnieć sobie, co takiego powiedział. – A teraz, Hrabino, mam jeszcze huk roboty.

– Ja także, Wasza Miłość.

Wykonała głęboki dyg i mocno ściskając drogocenny dziennik, opuściła komnatę.

Król, który nadal wydawał się czymś zaniepokojony, podszedł do stołu i ujął pióro.

Tak właśnie w dziesięć minut później zastała go Hiacynta. Stół usiany był skrawkami papieru, a spojrzawszy mimochodem na jeden ze ścinków, Hiacynta odczytała wymowne zdanie:

W takim to kraju chciałbym być poddanym.

Zerknęła na inne teksty. Były jeszcze krótsze:

Droga Hrabino, byłoby to moim...
Kraj, w którym nawet Król...
Szczęśliwy kraj!

Ten tekst został przekreślony napisem: „źle".

– Co to takiego, ojcze? – zainteresowała się Hiacynta.

Król aż podskoczył, wielce zmieszany.

– Nic, nic, kochaneczko – odparł. – To tylko... eee... Będę musiał z pewnością wygłosić mowę do ludu i właśnie zapisałem sobie kilka... Ale i tak mi się to nie przyda. – Zgarnął ręką papierki, zgniótł w kulkę, po czym wszystkie wrzucił do kosza.

I co się z nimi stało? – zapytacie. – Czy posłużyły rankiem za podpałkę w pałacowym kominku?

Otóż wydarzyła się dziwna rzecz. W rozdziale X „Euralii wczoraj i dziś" natknąłem się na następujący zapis:

Kiedy Król i wszyscy mężczyźni Królestwa udali się na wyprawę przeciw niegodnym Barodianom, Euralia stała się państwem kobiet – krajem, gdzie nawet Król chciałby być poddanym.

Cóż by to miało znaczyć? Czyżby kolejny plagiat? Musiałem już wskazać Shelleya. Czy będę teraz zmuszony wydobyć na światło dzienne plagiat jeszcze poważniejszy, autorstwa Krzywonóżki? Bez wątpienia dziejopis ten miał wolny dostęp do pałacowych koszy na śmiecie, podobnie jak większość historyków. Ale czy śmiałby ukryć fakt zapożyczenia?

Nie chcę być dla Krzywonóżki sędzią zbyt surowym. Nie ukrywam, że nasze opisy faktów historycznych znacznie się różnią, a będą się różniły jeszcze bardziej w miarę rozwoju mojej opowieści. Szanuję go jednak, a co do niektórych spraw – zwłaszcza dotyczących pierwszego pojawienia się w Euralii Duda, Królewicza Arabii – muszę w pełni polegać na jego informacji. Nigdy nie wahałem się co do autorstwa jego epigramatów cytowanych w tej książce i chcę wierzyć, że sam Krzywonóżko byłby równie skrupulatny w cytowaniu cudzych słów. Jego romantyczna natura jest powszechnie znana; powyższe sformułowanie z pewnością samo wpadło mu do głowy. Takiej wersji, w każdym razie, będziemy się trzymać.

Bellafryga zaś działała dalej. Król zamierzył się na nią mieczem, a ona nawet nie drgnęła. W nagrodę miała teraz stać się Szarą Eminencją.

– Niekoniecznie s z a r ą – szepnęła do siebie.

Księżniczka Hiacynta
polega na Hrabinie

Najwyższy już czas przedstawić wam Treskę, i oto od razu piętrzą się przede mną trudności.

Jaka była pozycja Treski w Pałacu?

Niełatwo opowiadać tę historię, skoro muszę ją składać z podań innych autorów i uzupełniać luki własnymi domysłami na temat ewentualnego zachowania się poszczególnych postaci. Może więc nadszedł sposobny moment, aby zaznajomić was ze źródłami, z których korzystam.

Pierwszym i najważniejszym jest, oczywiście, Krzywonóżko. Jego wiekopomne dzieło „Euralia wczoraj i dziś", w siedemnastu tomach, króluje na moim biurku podczas pisania. Natknąłem się na nie przypadkiem w tej małej księgarence, niedaleko, nie pamiętam nazwy, ale jest to trzecia księgarnia po lewej, jeśli wjeżdża się do Londynu od strony New Barnet. Jeśli idzie o zasadniczą kanwę mojej opowieści, polegam na dziele Krzywonóżki, a swoją opinię na temat wartości jego pracy wyraziłem już wcześniej.

Pomocne były mi także liczne legendy i ballady przekazane mi przed laty przez ciotkę ze strony ojca, Perkatkową rodem z Kornwalii. Uważa się ona za bezpośrednią potomkinię Henryka Perkatka, którego mistrzowski strzał z łuku stał się przyczyną opisywanych tutaj zdarzeń. Mówię: „uważa się ona", i trudno w tych sprawach wątpić w słowa damy – zawsze wszak wspominała Henryka z mieszaniną dumy i wielkiej poufałości, co jest typowe dla krewnych. Wiem, że mogę polegać na jej słowach we wszystkim, co nie dotyczy Henryka; w swoim ogólnym zarysie jej wersja znajduje potwierdzenie u Krzywonóżki, a wzbogacona jest o malowniczą i pełną podziwu prezentację Bellafrygi takiej, jaką naprawdę była, czego brakuje u innych autorów. Stosunek ciotki do Henryka Perkatka był jednak absurdalny. Upierała się, żeby to jego uczynić głównym bohaterem opowieści, co u mnie i u Krzywonóżki mogło wywołać jedynie litościwy uśmieszek. Oddajemy sprawiedliwość Perkatkowi, jeśli idzie o pierwszy strzał, ale zaraz potem opuszczamy go bezpowrotnie.

Trzecim moim źródłem była sama Bellaſryga. Kobiety jej pokroju nigdy nie umierają, toteż spotkałem ją (czy też jej kolejne wcielenie) ubiegłego lata w pewnej letniej rezydencji w Shropshire. Nie pamiętam, jak się każe teraz nazywać, ale rozpoznałem ją od razu; kiedy zaś zacząłem się jej przyglądać, wieki przemknęły obok nas i oboje, ona i ja, znaleźliśmy się razem w przemiłym Królestwie Euralii. „Został na podwieczorku i był nad wyraz czarujący". Czy i o mnie tak by powiedziała? Dość, staję się sentymentalny – to wielka wada Krzywonóżki.

Z takich to źródeł czerpię moją wiedzę. Sięgam do nich teraz i zadaję sobie pytanie: kim była Treska?

Krzywonóżko nazywa ją po prostu towarzyszką Księżniczki. Wiemy już, że Księżniczka miała lat siedemnaście; dama dworu, Treska, byłaby zatem mniej więcej jej rówieśnicą, a może nawet była odrobinę starsza. Czemu nie? – powiecie. Lady Treska, powiernica Jej Książęcej Mości Księżniczki

Hiacynty, lat osiemnaście i trochę, wysoka i postawna. Ponieważ to ona ma zagrozić planom Bellafrygi, uczyńmy ją przeciwieństwem przebiegłej Hrabiny.

Zgoda, ale nie mówilibyście tak, gdybyście słyszeli jedną z opowieści mojej ciotki. Ani też gdybyście znali Bellafrygę, nie pomieściłoby wam się w głowie, że jakakolwiek dojrzała kobieta mogłaby jej dorównać.

Treska była dzieckiem, czuję to przez skórę. We wszystkich legendach i balladach, jakie przekazała mi ciotka, Treska pojawia się jako dziewczynka – trochę jak Alicja z Krainy Czarów. Niech sobie Krzywonóżko pisze, co chce, u mnie zostanie ona dzieckiem.

A nawet Krzywonóżko nie potrafi konsekwentnie przedstawiać jej jako prawdziwej damy dworu. W jednym miejscu opowiada, że Treska odkurza tron Księżniczki; czy szanująca się dama, która w dodatku ukończyła w lutym osiemnaście lat, pozwoliłaby sobie na to? W innym miejscu Krzywonóżko każe jej przyjmować polecenia od Hrabiny; wyobraźcie sobie powiernicę Księżniczki przyjmującą polecenia od kogokolwiek poza własną panią. Miejcie na uwadze jej godność!

Była to więc, zgódźmy się, mała przyjaciółka Hiacynty, gotowa zrobić wszystko dla każdego, kto kochał lub udawał, że kocha jej panią.

Król wyruszył na wojnę. Z magicznym mieczem u pasa, z peleryną niewidką, której na razie nie włożył, lecz zwiniętą wiózł z tyłu, obawiając się, że nieobecność jego własnego rozłożystego cienia mogłaby zaniepokoić konia, jechał na czele swych zastępów na spotkanie wroga. Hiacynta pożegnała go na stopniach Pałacu. Jeszcze pięć razy Król zawrócił, aby udzielić jej ostatnich instrukcji, a za szóstym razem – aby zabrać zapomniany miecz, aż wreszcie odjechał i Hiacynta została na zamkowych murach tylko w towarzystwie Treski.

– Żegnanie się z ojcami bywa bardzo męczące – powiedziała Hiacynta. – Mam nadzieję, że nic mu się nie stanie. Tresko, chociaż nie powinnyśmy nikomu o tym mówić i chociaż ojciec dopiero co odjechał, wydaje nam się, że zabawnie będzie być Królową, prawda?

– To musi być cudowne – zgodziła się Treska, spoglądając na nią wielkimi oczami. – Czy naprawdę możesz teraz robić, co ci się spodoba?

Hiacynta kiwnęła głową.

– Zawsze robiłam, co mi się podobało – wyznała – ale teraz naprawdę mi to wolno.

– Mógłabyś kazać ściąć komuś głowę?

– Z łatwością – odparła poufnie Księżniczka.

– Bardzo bym nie chciała ścinać ludzi.

– Ja także nie, Tresko. Umówmy się, że na razie żadna głowa nie spadnie, dopóki nie przyzwyczaimy się do tej myśli.

Treska nie spuszczała oczu z księżniczki.

– Kto więc może – zapytała – ty czy Wróżka?

– Spodziewałam się, że zadasz jakieś wstrętne pytanie – odparła Hiacynta, udając, że jest zła. Rozejrzała się wokół pospiesznie, aby się upewnić, że nikt nie podsłuchuje, a potem szepnęła Tresce do ucha: – Ja.

– Ooooch! – westchnęła Treska. – Jak pysznie!

– Prawda? Znasz historię o moim ojcu i Wróżce?

– O Jego Wysokości?

– O Jego Wysokości Królu Euralii. Zdarzyło się to w puszczy, tuż po tym jak został królem.

A wy, czy znacie tę historię? Zdaje się, że nie.

Wobec tego musicie jej wysłuchać. Ale gdybym pozwolił opowiadać ją Hiacyncie, byłoby w niej stanowczo zbyt wiele cudzysłowów, więc lepiej sam wam opowiem.

Było to wkrótce po koronacji. Król był tak z siebie dumny, że chodził tylko i w kółko powtarzał: „Jestem Królem. Jestem Królem". A czasem: „Król to ja. Jam jest Król".

Powtórzył to któregoś dnia w puszczy, gdzie podsłuchała go Wróżka.

Pojawiła się przed nim i powiedziała:

– A więc to ty jesteś Królem?

– Ja jestem Królem – potwierdził Radowłos. – Jam jest...

– Wielkie mi coś: król – przerwała mu Wróżka.

– Król to potęga – odparł dumnie Radowłos.

– A gdybym cię tak zamieniła w... w małą owieczkę. Kim byłbyś wówczas?

Król namyślał się przez chwilę.

– Nawet chciałbym być małą owiczką – powiedział.

Wróżka skinęła czarodziejską różdżką.

– A więc będziesz nią – powiedziała – tak długo, aż przyznasz, że Wróżka jest znacznie potężniejsza od Króla.

W tej samej chwili król stał się owieczką.

– No? – spytała Wóżka.

– No? – powtórzył Król.

– Kto jest potężniejszy: Król czy Wróżka?

– Król – odrzekł Radowłos. – A do tego ma bardziej miękkie futerko – dodał.

Na chwilę zapadła cisza. Radowłos zaczął skubać trawkę.

– Nie mam zbyt wysokiego mniemania o wróżkach – powiedział z pełnym pyszczkiem. – Nie wydaje mi się, żeby były zbyt potężne.

Wróżka rzuciła mu wściekłe spojrzenie.

– Nie mogą zmusić człowieka, aby powiedział coś, czego nie chce powiedzieć – wyjaśnił Król.

Wróżka tupnęła ze złości.

– Zamień się w ropuchę. – rozkazała, machając różdżką. – W paskudną, złą, rozlazłą ropuchę.

– Zawsze pragnąłem – zaczął Radowłos – być ropuchą – skończył swoją wypowiedź już bliżej ziemi.

– No? – zainteresowała się Wróżka.

– Nie mam zbyt wysokiego mniemania o wróżkach – powiedział Król. – Nie wydaje mi się, żeby były zbyt potężne. – Czekał, aby Wróżka na niego spojrzała, ale ona udawała, że myśli o czymś innym. Po krótkiej chwili Król dodał: – Nie mogą zmusić człowieka, aby powiedział coś, czego nie chce powiedzieć.

Wróżka tupnęła z jeszcze większą złością i po raz trzeci skinęła różdżką.

– Bądź cicho! – rozkazała. – Zamilcz na zawsze!

Nic już nie zakłócało ciszy puszczy. Przez zielony dach ponad głową Wróżka dojrzała błękit nieba; poprzez wysokie pnie drzew spojrzała w kierunku królewskiego zamku; jej wzrok padł na małą polankę z lewej strony i na omszałe zbocze po prawej... lecz za nic nie chciała spojrzeć na rozkraczoną u swych stóp ropuchę.

Nie, nie popatrzy...

Nie popatrzy...

A jednak...

To było nie do zniesienia. Nie mogła się oprzeć. Spojrzała na paskudną, złą, rozlazłą ropuchę, niemą ropuchę, która niegdyś była Królem.

A ropucha, napotkawszy jej wzrok, zrobiła perskie oko.

Niektóre perskie oka wyrażają więcej niż inne. Wróżka doskonale odgadła, co miało znaczyć to perskie oko. Znaczyło ono: „Nie mam zbyt wysokiego mniemania o wróżkach. Nie wydaje mi się, żeby były zbyt potężne. Nie mogą zmusić człowieka, aby powiedział coś, czego nie chce powiedzieć".

Wróżka z odrazą machnęła różdżką.

– No, dobrze, stań się znów Królem – powiedziała niecierpliwie, po czym znikła.

Taka właśnie jest opowieść o tym, jak Król Euralii spotkał w lesie Wróżkę. Krzywonóżko też opowiada ją nieźle – właściwie niewiele gorzej niż ja – ale obarcza ją morałem. Musicie się sami domyślić, co to za morał; ja wam go nie zdradzę.

Treska nie dbała o morały. Z łokciami wspartymi na kolanach, z buzią opartą na dłoniach, patrzyła w stronę puszczy i wyobrażała sobie całą scenę.

„Jak to cudownic być takim Królem" – pomyślała.

– To było dawno temu – wyjaśniła Hiacynta. – Ojciec musiał być wtedy całkiem ładny – dodała.

– Ta Wróżka była bardzo niedobra – powiedziała Treska.

– Ta Wróżka była bardzo głupia. Ja nie uległabym ojcu tak łatwo.

– Ale są przecież dobre Wróżki, prawda? Nawet jedną spotkałam.

– Ty, dziecinko? A gdzie?

Nie wiem, czy zmieniłoby to bieg dziejów Euralii, gdyby Tresce dane było właśnie wtedy opowiedzieć o swojej Wróżce; stało się jednak inaczej i opowiedziała ona swą historię dopiero później, kiedy w pobliżu znalazła się Bellafryga. Z żalem stwierdzam, że Bellafryga podsłuchiwała. Tłumaczyła się potem, że jest to jedna z tych opowieści, które muszą zostać podsłuchane – tak jakby to mogło ją usprawiedliwić. Na razie zjawiła się zbyt wcześnie, aby podsłuchiwać, ale wystarczająco późno, aby udaremnić opowiedzenie historii pod swoją nieobecność.

– Hrabina Bellafryga – zapowiedziała heroldka i Hrabina wykonała efektowne wejście.

– Dzień dobry, Hrabino – powitała ją Hiacynta.

– Dzień dobry, Wasza Książęca Mość. O, Treska, dziecina moja słodka – dodała obojętnie, wyciągając rękę, żeby pogłaskać słodką dziecinę po główce, ale trafiła obok.

– Treska miała mi właśnie coś opowiedzieć – powiedziała Księżniczka.

– Dziecinka najsłodsza – rzekła Bellafryga, wyciągając ku niej niepewnie drugą rękę. – Czy mogę przerwać opowieść wzmianką o sprawach większej wagi, Wasza Wysokość?

Księżniczka skinęła głową, Treska oddaliła się.

– Słucham – zniecierpliwiła się Hiacynta.

Bellafryga zawsze dziwnie działała na Księżniczkę, kiedy zostawały same. W jej wyniosłych manierach było coś, co sprawiało, że Hiacynta czuła się jak niegrzeczna uczennica: traciła pewność siebie i opadały ją niejasne wyrzuty sumienia. Ja sam czuję się podobnie w rozmowach z wydawcą moich książek, a Krzywonóżko wspomina (w kwestii tych samych odczuć) pewnego wuja, przed którym (jak twierdzi) też zawsze prezentuje się jak najgorzej. Znamy to więc wszyscy.

– Chciałabym przedstawić Waszej Książęcej Mości kilka planów – rzekła Hrabina. – Och, co za głuptas ze mnie... chciałam powiedzieć: Waszej Królewskiej Mości. Naturalnie, Wasza Królewska Mość może nie zgodzić się z moimi propozycjami, ale na wypadek, gdyby się jednak Wasza Królewska Mość miała z nimi zgodzić, pozwoliłam sobie je spisać.

Zaczęła rozwijać, jedną po drugiej, rolki ozdobnych pergaminów.

– Pięknie wykaligrafowane – zauważyła Księżniczka.

Bellafryga zarumieniła się na ten komplement. Różnobarwne atramenty i podkreślenia były jej pasją. W jej dzienniku dzień tygodnia był zawsze podkreślony na czerwono, a co ważniejsze słowa w zapiskach często kaligrafowała na złoto. Biorąc w ręce taki pamiętnik, wiedziało się od razu, że ma się do czynienia z kimś.

Pierwszy dokument nosił nagłówek:

PLAN GOSPODARCZY KRÓLESTWA

Gospodarczy przyciągał oko jasnym różem.
Kolejny dokument nosił nagłówek:

PLAN BEZPIECZEŃSTWA KRÓLESTWA

Bezpieczeństwo krzyczało błękitem.
Trzeci dokument nosił nagłówek:

PLAN ROZWOJU LITERATURY
W KRÓLESTWIE

Rozwój literatury został poważnie ściśnięty z braku miejsca. Bellafryga wyznawała opinię, że nagłówek winien się mieścić w jednej linijce; ostatni tytuł zaczęła pisać zbyt dużymi literami, a ponieważ zielony atrament właśnie się kończył, nie można już było przepisać go na nowo.

Pergaminów było dziesięć.

Pod koniec lektury trzeciego Księżniczka poczuła się niewyraźnie.

Pod koniec piątego wiedziała już z całą pewnością, że jej obecność w Rodzinie Królewskiej jest wielkim nieporozumieniem.

Pod koniec siódmego postanowiła, że jeśli Hrabina daruje jej tym razem, już nigdy więcej nie będzie niegrzeczna.

Pod koniec dziewiątego zwyczajnie zachciało jej się płakać.

Dziesiąty pergamin zapisany był jaskrawym kolorem pomarańczy i nosił nagłówek:

PLAN ROZWOJU GIMNASTYKI RYTMICZNEJ W KRÓLESTWIE

– Tak – powiedziała słabym głosem Księżniczka. – Wydaje mi się, że to dobry pomysł.

– Myślałam, że jeśli Jej Królewska Mość zaakceptuje – rzekła Bellafryga – mogłybyśmy...

Hiacynta poczuła, że oblewa się rumieńcem, chociaż nie wiedziała czemu.

– Polegam na tobie, Hrabino – wymamrotała. – Jestem pewna, że ty wiesz najlepiej.

Było to coś, czego nigdy nie powiedziałaby własnemu ojcu.

Bellafryga oddaje się
swojej pasji

Na leśnej polance siedziała Hrabina Bellafryga:
za tron miała złamany pień, za dworzan – wyimagi-
nowaną publiczność, która nigdy jej nie opuszcza-
ła. Po raz pierwszy w życiu była zdenerwowana:
czekał ją ranek pełen napięcia.

Przyczynę mogę wam wyjawić natychmiast. Jej
Królewska Mość miała oto dokonać przeglądu Armii Amazonek Jej Królewskiej Mości (patrz Plan II,
Bezpieczeństwo Królestwa). Początek parady wy-
padał za pół godziny.

– No i co z tego? – zapytacie. – Cóż bardziej chwa-
lebnego?

Powiem wam, co z tego. Otóż nie było żadnej Armii Amazonek. Aby zaś Królewska Mość nie dowiedziała się tej smutnej prawdy, Bellafryga regularnie podejmowała dla armii uposażenie. Tak było lepiej.

Ilekroć Bellafryga popadła w tarapaty, pocieszała się lekturą dziennika. Otwarła opasły tom i kartkując go od niechcenia, czytała sobie co piękniejsze fragmenty.

Poniedziałek. Pierwszy czerwca – przeczytała. *Stałam się zła.*

Westchnęła z rezygnacją nad tym, że człowiek musi być zły. Krzywonóżko wyraża opinię, że powinna była westchnąć o wiele lat wcześniej. Jego zdaniem, Bellafryga była zła od urodzenia.

Wtorek. Drugi czerwca – czytała dalej. – *W głębi duszy zdałam sobie sprawę z tego, że moim przeznaczeniem jest rządzić tym krajem . Środa. Trzeci czerwca. Postanowiłam wygryźć Księżniczkę. Czwartek. Czwarty czerwca. Wygryzanie rozpoczęte.*

Niezła spowiedź jak na kobietę – nawet taką, która stała się zła w ubiegły poniedziałek! Nic dziwnego, że nie wszyscy mieli dostęp do pamiętnika Bellafrygi. Zajrzyjmy jej przez ramię i przeczytajmy dalsze wyznania tej przebiegłej kobiety.

Piątek. Piąty czerwca. Zrobiłam sobie... Och, to już nazbyt osobiste. Ale możemy przeczytać coś innego:

Myśl tygodnia:

Uważaj, byś się nie znalazł pod troncm,

Sięgając ręką po cudzą koronę.

Ta piękna maksyma z pewnością znalazłaby uznanie Krzywonóżki, chociaż nie potrafiłby on tak zgrabnie jej zrymować.

Hrabina przewróciła jeszcze kilka kartek i zabrała się do spisywania wydarzeń dnia wczorajszego.

– Wtorek. Dwudziesty trzeci czerwca – powiedziała sama do siebie – Co się wydarzyło? Entuzjastyczne powitanie poza murami Pałacu – jak się pisze „entuzjastyczne"? Zastanawiała się, gryząc koniec ołówka. Kartkowała dziennik tak długo, aż odnalazła właściwe miejsce.

– Tak – powiedziała z namysłem. – Ostatnim razem napisałam przez „en", więc teraz kolej na „ę".

Leciutko napisała ołówkiem „ętuzjastyczne"; potem pociągnie to słowo złotym atramentem.

Zatrzasnęła dziennik. Ktoś nadchodził.

Była to Treska.

– Pozwoli pani, Jej Królewska Wysokość przysyła mnie z wiadomością, że będzie tu o jedenastej, aby dokonać przeglądu swej nowej armii.

Była to ostatnia rzecz, o jakiej Bellafryga chciała teraz pamiętać.

– Ach, Tresko, dziecinko moja słodka – powiedziała. – Znajdujesz mnie w wielkim zakłopotaniu. – Tu westchnęła dramatycznie. – Jako Dowódczyni Korpusu Baletowego – dużym palcem u nogi pokazała, jak porusza się balet – Głównodowodząca Armii Amazonek – tu zasalutowała, i przynajmniej tyle należało zrobić za zdefraudowane pieniądze – Strażniczka Antybrylantyny, a także Ochmistrzyni, jestem osobą niezwykle zajętą. Chodź tu i zetrzyj kurz z tego pnia dla Jej Królewskiej Mości. Wszystkie te zajęcia bardzo mnie wyczerpują, Tresko, ale są to moje obowiązki i muszę je wykonywać.

– Truśka mówi, że świetnie sobie pani z nimi radzi – powiedziała niewinnie Treska, zabierając się do odkurzania. – To musi być miłe tak świetnie sobie ze wszystkim radzić.

Hrabina zmierzyła ją lodowatym spojrzeniem. Co innego zwierzyć się osobistemu pamiętnikowi, że się jest złym, a co innego dowiedzieć się, że jakieś Truśki trąbią o tym po całym kraju.

– Nie wiem, co to jest Truśka – powiedziała Bellafryga z pogardą – ale natychmiast przyślij to coś do mnie.

Ledwie Treska odeszła, Bellafryga dała upust złości. Przechadzała się w tę i z powrotem po aksamitnej murawie, powtarzając: „Do licha! Do licha! Do licha! Do licha!". Gdy fala gniewu minęła, Bellafryga usiadła na pniu i poddała się rozpaczy. Dwa przepyszne warkocze spływały jej wzdłuż pleców aż do pasa; po namyśle udrapowała je z przodu – jeśli już człowiek ma rozpaczać, należy to robić możliwie efektownie.

Nagle olśniła ją pewna myśl.

– Nikogo nie ma – powiedziała. – Czy zdobędę się na wygłoszenie monologu? Tak. Nie robiłam tego od tygodni. – Ach, cóż to za... – Podniosła się pospiesznic. – Nikt nie potrafiłby wygłosić monologu na takim pniu – rozzłościła się. Doszła do wniosku, że może to równie dobrze zrobić na stojąco. Unosząc białą dłoń ku niebu, zaczęła swój monolog.

– Ach, cóż to za...

– Pani mnie wołała, psze pani? – pojawiła się przed nią nagle Truśka.

– Do licha! – odpowiedziała Bellafryga. Z rezygnacją wzruszyła ramionami. „Innym razem" – obiecała sobie i odwróciła się do Truśki.

Truśka musiała się znajdować gdzieś w pobliżu, skoro Treska tak szybko ją znalazła; podejrzewam, że bawiła się w lesie zamiast odrabiać lekcje, cerować skarpetki czy co tam jeszcze należało do jej codziennych obowiązków. Opisać Truśkę jest mi równie trudno, jak opisać Treskę; to straszny kłopot dla autora, kiedy bez przerwy plączą mu się po książce nieproszone osoby. Ale skoro Truśka już tu jest, musimy coś z nią zrobić. Zdaje mi się, że była o rok czy dwa młodsza od Treski i raczej nie douczona. Dowodem – jej insynuacje na temat Hrabiny Bellafrygi oraz fakt, że mówiła do niej „psze pani".

– Zbliż się – powiedziała Bellafryga. – Czy to ciebie wołają Truśka?

– Tak, psze pani – odparła Truśka, bardzo speszona.

Hrabina wzdrygnęła się na „psze pani", ale mężnie ciągnęła dalej:

– Coś ty takiego o mnie rozpowiadała?

– Nic, psze pani.

Bellafryga wzdrygnęła się ponownie i rzekła:

– Czy wiesz, co robię z dziewczynkami, które wygadują o mnie takie rzeczy? Ucinam im głowy. Albo – próbowała wymyślić coś bardziej przerażającego – albo zabraniam dawać im dżem na podwieczorek. Takie dziewczynki bardzo mnie denerwują.

Truśka zrozumiała nagle, jak źle postąpiła.

– Och, psze pani – powiedziała z rozpaczą, padając na kolana.

– Nie mów do mnie „psze pani"! – wybuchnęła Bellafryga. – To takie w s t r ę t n e! Po co, jak myślisz, Truśko, chciałam zostać hrabiną, jeśli nie po to, żeby już nikt nie mówił do mnie „psze pani"?

– Nie wiem, psze pani.

Bellafryga poddała się. Dzień i tak rozpoczął się fatalnie.

– Chodź no tu, dziecko – westchnęła – i posłuchaj. Byłaś bardzo niegrzeczna, ale tym razem ci daruję. Za to teraz coś dla mnie zrobisz.

– Tak, psze pani.

Bellafryga aż drżała z przejęcia. Przyszedł jej raptem do głowy błyskotliwy plan.

– Jej Królewska Mość ma dokonać przeglądu swojej Armii Amazonek. Był to nieoczekiwany pomysł Jej Królewskiej Mości, który przyszedł jej do głowy w najmniej sposobnym momencie, jako że armia jest... eee... – Cóż może robić armia? No tak – jest na manewrach w odległej części kraju. Nie możemy jednak zawieść Jej Królewskiej Mości. Co zatem zrobimy, Truśko?

– Nie wiem, psze pani – odparła obojętnie Truśka.

Nie oczekując z jej strony żadnej pomocy, Hrabina kontynuowała:

– Powiem ci, co. Widzisz tamto drzewo? Uzbrojona po zęby, będziesz maszerowała wokół niego tak, aby każdy, kto siedzi tutaj, odniósł wrażenie, że odbywa się przemarsz wielkiej armii. Czeka cię za to nagroda. Oto ona – pogmerała w torebce. – Albo nie, będę ci dłużna. Dobrze zrozumiałaś?

– Tak, psze pani.

– Bardzo dobrze. W takim razie biegnij do Pałacu i postaraj się o miecz, hełm, łuk, strzałę i o... o strzałę i co tam jeszcze chcesz, a potem wracaj i schowaj się za tymi krzakami.

Truśka dygnęła i pobiegła.

Możliwe, że Hrabina podjęłaby swój monolog, ale tego nie dowiemy się już nigdy, ponieważ w tej samej chwili po przeciwnej stronie polanki dała się zauważyć Księżniczka wraz z całą świtą. Bellafryga wyszła im naprzeciw.

– Dzień dobry, Wasza Królewska Mość – powiedziała. – Co za piękny dzień, nieprawdaż?

– Owszem, Hrabino, piękny.

Mając za plecami cały orszak, Hiacynta czuła się mniej zagrożona niż zwykle, ale już po pierwszych słowach Hrabiny pewność siebie zaczęła ją opuszczać. Czy mówiłem wam już, że ja tak samo czuję się podczas rozmowy z wydawcami? A o wuju Krzywonóżki? Trudno to wytłumaczyć.

Świta Księżniczki ustawiła się w malowniczych pozach, podczas gdy Bellafryga mówiła dalej:

– Dzielne obrończynie Waszej Królewskiej Mości, Wewnętrzna Armia Obronna Amazonek (tu zasalutowała: jest to obyczaj, którego nabywa się łatwo i który daje złudzenie fachowości), czekały na ten dzień od tygodnia. Jakaż duma napełnia ich serca na myśl o tym, że będą defilować przed Jej Królewską Mością.

Wypłacała, a raczej przyjmowała żołd dla Armii tak często, że całkiem już zdołała uwierzyć w jej istnienie. Miała nawet listę poszczególnych kompanii (co oznaczało, między innymi, możliwość używania przepięknego czerwonego atramentu) i pisała sama do siebie listy przedstawiające Kaprala Gretę Docello do awansu na Sierżanta.

– Obawiam się, że na temat wojska wiem bardzo niewiele – powiedziała Hiacynta. – Zawsze pozostawiałam tę dziedzinę ojcu. Ale uważam, że to był świetny pomysł – zwerbować kobiety do obrony mojej osoby. Chociaż nieco kosztowny, prawda?

– Wasza Królewska Mość, wojsko zawsze kosztuje.

Księżniczka usiadła i uśmiechem przywołała do siebie Treskę. Świta, w pozach jeszcze bardziej malowniczych niż przed chwilą, uplasowała się za jej plecami.

– Czy Wasza Królewska Mość gotowa?

– Najzupełniej, Hrabino.

Hrabina klasnęła w dłonie.

Przez chwilę nie działo się nic, a potem, Amazonka za Amazonką, każda uzbrojona po zęby, zaczęły defilować przed Księżniczką.

Wspaniały widok...

A jednak Treska musiała wszystko popsuć.

– Przecież to Truśka! – zawołała.

– Głuptas! – syknęła Bellafryga, wymierzając jej kuksańca.

Księżniczka spojrzała na nią pytająco.

– To niemądre stworzenie – wyjaśniła Hrabina – ubzdurało sobie, że w paradnej armii Waszej Królewskiej Mości dostrzega swoją koleżankę.

– Jakaś ty sprytna, Tresko! Mnie się też wydaje, że one wszystkie są takie same.

Bellafryga sprostała zadaniu.

– To efekt umundurowania i musztry – wyjaśniła. – Fakt niejednokrotnie potwierdzony.

– Możliwe – zgodziła się niepewnie Hiacynta. – Czy jednak one nie powinny maszerować czwórkami? Zdaje mi się, że kiedy byłam z ojcem na przeglądzie wojsk...

– Ach, Wasza Wysokość, to była armia męska. W damskim wojsku... cóż, przekonaliśmy się, że kiedy maszerują obok siebie, bez przerwy gadają.

Świta, która spoczywała dotąd na prawej nodze z lewym kolanem ugiętym, spoczęła teraz na lewej nodze z prawym kolanem ugiętym. Truśka też poczuła się zmęczona. Ostatnia kompania Armii Amazonek maszerowała bez animuszu, który charakteryzował pierwszą kompanię.

– Chciałabym, żeby się teraz zatrzymały. Mam zamiar do nich przemówić – oświadczyła Hiacynta.

Bellafryga na moment uległa zaskoczeniu.

– Obawiam się, Wasza Królewska Mość – dukała, podczas gdy jej mózg pracował na pełnych obrotach – że to byłoby niezgodne z... z... z duchem Kodeksu Królewskiego. Wojsko... wojsko w marszu... musi... eee... maszerować. – Wykonała szeroki gest dłonią. – Musi maszerować – dodała z niewinnym uśmiechem.

– Ach tak – powiedziała Hiacynta, ponownie oblewając się rumieńcem skruchy.

Bellafryga chrząknęła głośno. Trzeci od końca weteran armii spojrzał na nią pytająco i odmaszerował. Nadszedł przedostatni weteran, którego powitał jeszcze gwałtowniejszy atak kaszlu. Ostatni weteran wynurzył się zza drzewa bardzo ostrożnie i spotkał tak jednoznaczny grymas, że nie miał już wątpliwości, iż parada dobiegła końca... Truśka zdjęła hełm i położyła się w krzakach.

– To wszystko, Wasza Królewska Mość – powiedziała Bellafryga – przemaszerowało sto pięćdziesiąt osiem, dwieście siedemnaście niedysponowanych, co daje razem sześćset dwadzieścia dwie; dziewięć sprawuje straż w pałacu – to sześćset trzydzieści dwie, plus jeszcze dziewięć – to osiemset piętnaście. Jeśli dodać do tego dwadzieścia osiem niepełnoletnich, otrzymamy okrągły tysiąc.

Treska otworzyła buzię z zamiarem powiedzenia czegoś, ale doszła do wniosku, że pewnie jej pani chce powiedzieć to osobiście. Hiacynta jednak zrobiła tylko nieszczęśliwą minę.

Bellafryga podeszła bliżej.

- Nie wiem... eee... czy wspominałam Waszej Królewskiej Mości, że mamy dzisiaj wypłatę. Jedna sztuka srebra dziennie, pomnożona przez kilka dni w tygodniu, pomnożona przez - ile mówiłam? - daje razem dziesięć tysięcy sztuk złota. - Rozłożyła przed Księżniczką pięknie poliniowany dokument. - Jeśli Wasza Królewska Mość raczyłaby złożyć tu swój inicjał...

Księżniczka machinalnie podpisała.

- Dzięki, Wasza Królewska Mość. Najlepiej będzie, jeśli zajmę się tym od razu.

Dygnęła uniżenie, a następnie, przypomniawszy sobie o swojej funkcji, zasalutowała i oddaliła się krokiem marszowym.

Krzywonóżko rozstałby się z nią bez bólu i rozpocząłby kolejny rozdział od słów: „Tymczasem Król...", a tym samym zostawiłby was pod wrażeniem, że Hrabina Bellafryga była pospolitą złodziejką. Ja jednak inaczej pojmuję rolę kronikarza. Za wszelką cenę staram się być sprawiedliwy dla swoich bohaterów.

Bellafryga miała pewną słabostkę. Miała i kilka innych, o których już wam mówiłem, ale ta była zupełnie specjalna. Pasją Hrabiny było rozrzucanie pieniędzy.

Znam pewnego staruszka, który co wieczór grywa w kręgle. Rzuca on swoją kulą w drugi koniec kręgielni, drepcze za nią i rzuca z powrotem. Zastanówcie się nad nim chwilę, a potem pomyślcie o Bellafrydze, jak przejeżdża wśród wiwatujących tłumów na swym kremowym rumaku, rzucając sakwy złota to na prawo, to na lewo; uważam, że jej pasja przerasta hobby staruszka.

Wymaga też, zapewniam was, nie mniej samozaparcia. Skoro już raz przyjmie się zwyczaj „rozrzucania" pieniędzy, czy też „szastania" nimi, niemożliwe staje się podawanie ich w sposób przyjęty, z ręki do ręki.

Któż z nas, kto w przypływie animuszu rzucił taksówkarzowi pół korony, będzie później czuł się zadowolony, podając innemu zaciśnięte w garści trzy miedziaki? Skoro się raz zaczęło – trzeba szastać dalej.

Tak samo było z Bellafrygą. Zwyczaj rozrzucania pieniędzy owładnął nią bez reszty. Kosztowny to zwyczaj, ale Hrabina potrafiła przestrzegać go mniejszym kosztem niż większość ludzi. Ludność została opodatkowana na rzecz Armii Amazonek; wypłatę dla Armii Amazonek Bellafryga rozrzucała następnie wśród ludności – cóż bardziej sprawiedliwego?

Prawdą jest, że zyskiwało to Hrabinie uwielbienie i poklask. A któraż kobieta nie lubi być podziwiana? Czy to grzech? Nawet jeśli, to jest to grzech zupełnie innego rodzaju niż pospolite złodziejstwo, o które oskarża Bellafrygę Krzywonóżko. Bądźmy bezstronni.

W Barodii nie ma czarnoksiężników

Tymczasem „Król Euralii z wielkim zapamiętaniem kontynuował wojnę".

Tak pisze Krzywonóżko w słynnym rozdziale swej księgi – i nie ulega wątpliwości, że Radowłos był istotnie bardzo zajęty.

Po wypowiedzeniu wojny armia Euralii, zgodnie z przyjętym obyczajem, wkroczyła do Barodii. Niezależnie od dzielących ich konfliktów, obaj Królowie zawsze przestrzegali zasad wojennej etykiety. Ostatnia bitwa rozegrała się na terytorium Euralii, dlatego też tym razem sceną konfliktu miała być Barodia. Do Barodii zatem powiódł Radowłos swoją armię. Na obóz wyznaczono im rozległe pastwisko, gdzie wśród wiwatów Barodian Euralianie poczęli szykować się do snu.

W chwili, o której mowa, obie armie stały naprzeciw siebie już od kilku tygodni, przy czym żadna nie próżnowała. Zaraz pierwszego ranka Radowłos przywdział swą pelerynę niewidkę i udał się do obozu wroga, aby zbadać sytuację. Niestety, ta sama myśl, i to w tym samym momencie, przyszła do głowy Królowi Barodii. On także przywdział pelerynę niewidkę.

W połowie drogi Królowie zderzyli się gwałtownie ku obopólnemu zdumieniu. Mniemając, iż natknęli się na jakieś nieznane czary, wycofali się do swych obozów w celu odbycia konsultacji z Kanclerzami. Kanclerze nic nie rozumieli. Zdołali jedynie doradzić Ich Królewskim Mościom ponowie nie przedsięwzięcia następnego ranka.

– Tylko inną trasą – poradzili Kanclerze. – Tak, aby ominąć Magiczny Słup.

Obaj Królowie wyruszyli zatem następnego ranka ścieżką położoną bardziej na południe. W połowie drogi znów nastąpiło gwałtowne zderzenie i Królowie z impetem usiedli na ziemi, aby rzecz przemyśleć.

– Dziw nad dziwy – rzekł Radowłos. – Między armiami rozciąga się jakiś magiczny mur.

Wstał i uniósłszy dłoń, wyrecytował dobitnie:

Ba, bi, bo, bam
La, li...

– Dziw nad dziwy! – wykrzyknął Król Barodii.
– To...

Nagle zamilkł. Obaj królowie chrząknęli. Przypomnieli sobie, nie bez pewnego zawstydzenia, swoje wczorajsze przerażenie.

– Kim jesteś? – zapytał Król Barodii.

Radowłos uznał, że nie ma sensu się ujawniać.

– Świniopasem Jego Królewskiej Mości – odparł, starał się w miarę możności mówić jak świniopas.

– To... to tak samo jak ja – rzekł słabym głosem Król Barodii.

Nie pozostało im zatem nic innego, jak wszcząć dyskurs o świniach.

Radowłos mógł się bez wahania przyznać, że nie wie na ten temat absolutnie nic. Wiedza Króla Barodii była daleko skromniejsza.

– Eee, tego... ile ich masz? – zapytał Król Barodii.

– Siedem tysięcy – strzelił Radowłos.

- Eee... ja tak samo - powiedział Król Barodii jeszcze słabszym głosem.

- Parki - wyjaśnił Radowłos.

- Moje to pojedyncze sztuki - powiedział Król Barodii, postanawiając mieć w końcu własne zdanie.

Każdy z Królów był zdumiony, że tak łatwo przychodzi mu rozmawiać na temat świń z ekspertem. Król Barodii stał się wręcz nonszalancki.

- No - rzekł - muszę wracać. Niedługo... eee... pora dojenia.

- Ja też idę - powiedział Radowłos. - Jeszcze chwileczkę - dodał. - Co dajesz swoim do jedzenia?

Król Barodii nie był pewien, czy może odpowiedzieć, że mus jabłkowy, czy też raczej nie. Uznał, że chyba lepiej nie.

- To tajemnica - odparł ponuro. - Przekazywana z pokolenia na pokolenie.

Radowłos nie potrafił wymyślić na to lepszej repliki niż: - Aha! - Wyrzekł to bardzo dobitnie i pożegnawszy rozmówcę, wrócił do swego obozu.

Podczas wieczornej biesiady, będąc w wybornym humorze, opisał zebranym swoje udane oszustwo. Gwoli sprawiedliwości wspomnieć trzeba, że i Król Barodii był tego wieczora w wybornym humorze.

Po tym zdarzeniu przez kilka tygodni wrzała walka. Od czasu do czasu cała armia euralijska ustawiała się w szyku poza obrębem obozu, chórem wzywając Barodian do boju; czasem znów armia barodyjska ustawiała się w czwórki w nadziei sprowokowania konfliktu. W przerwach obaj Kanclerze sprawdzali teksty starych zaklęć, przeczesywali kraj w poszukiwaniu czarnoksiężników lub posyłali sobie nawzajem obraźliwe listy. Pod koniec miesiąca trudno było stwierdzić, na którą stronę przechyla się szala zwycięstwa.

W połowie drogi między obozami znajdował się pagórek, a na nim rosło samotne drzewo. Tutaj to właśnie zeszli się pewnego pięknego ranka obaj Królowie i obaj Kanclerze, a zeszli się w krwawej potrzebie. (Określenie to zapożyczyłem od Krzywonóżki). Celem ich spotkania było omówienie pojedynku obu monarchów, będącego stałym elementem wojen między Barodią a Euralią. Gdy już Królowie uścisnęli sobie dłonie, Kanclerze zasiedli do omawiania szczegółów.

– Spodziewam się – rzekł Kanclerz Barodii – że Ich Królewskie Moście zechcą walczyć na miecze?

- Z pewnością - oparł błyskawicznie Król Barodii; tak błyskawicznie, iż Radowłos nabrał pewności, że i przeciwnik posiada Magiczny Miecz.

- Peleryny niewidki naturalnie wykluczamy - powiedział Kanclerz Euralii.

- A więc masz taką pelerynę? - zapytali się nawzajem obaj Królowie.

Pierwszy opanował się Radowłos.

- Oczywiście, że mam - oparł. - I dziwna rzecz: jedynym z moich poddanych, który również taką posiada, jest mój... eee... świniopas.

- Ciekawe - przyznał Król Barodii. - Bo mój świniopas też ma taką pelerynę.

- To zrozumiałe - podsumował Radowłos. - Peleryna niewidka jest nieodzowna przy świniopasaniu.

- Zwłaszcza przy dojeniu - zgodził się Król Barodii.

Spojrzeli na siebie z większym niż dotąd szacunkiem. Niełatwo było w owych czasach o króla, który miałby techniczne szczegóły tak pospolitego zawodu w małym palcu.

Kanclerz Barodii odwołał się do precedensów.

- Używania magicznych peleryn w pojedynkach zabroniono po słynnym sporze dziadków Waszych Wysokości.

– Pradziadków – poprawił Kanclerz Euralii.

– Wydaje mi się, że jednak dziadków.

– Pradziadków, jeśli się nie mylę.

Temperatura sporu rosła gwałtownie, lecz w momencie gdy Kanclerz Barodii miał wymierzyć Kanclerzowi Euralii kuksańca, włączył się Radowłos.

– Nie bawmy się w drobiazgi – przerwał zniecierpliwiony. – Proszę nam lepiej powiedzieć, co zaszło podczas pojedynku naszych... naszych przodków.

– To było tak, Wasza Wyskość. Dziadek Waszej Wysokości...

– Pradziadek – poprawił go cichy głos.

Kanclerz obrzucił przeciwnika druzgocącym spojrzeniem i kontynuował relację:

– Przodkowie Waszych Wysokości postanowili poprzez pojedynek położyć kres trwającej podówczas wojnie. Ustawiono obie armie w pełnym rynsztunku bojowym. Na ich oczach monarchowie podali sobie dłonie. Dobywszy mieczy i zarzuciwszy na siebie magiczne peleryny, królowie...

– No, no? – zniecierpliwił się Radowłos.

– To raczej bolesna historia, Wasza Miłość.

– Mów, nie będę miał ci za złe.

– A więc, Wasza Wysokość, dobywszy mieczy i zarzuciwszy na siebie magiczne peleryny, królowie... wrócili do stołów biesiadnych.

– Coś takiego! – zdumiał się Radowłos.

– Kiedy armie, które przez całe popołudnie niecierpliwie oczekiwały wyniku pojedynku, powróciły do macierzystych obozów, znalazły ich Wysokości...

– We śnie – podpowiedział śpiesznie Kanclerz Euralii.

– We śnie – zgodził się Kanclerz Barodii. – Wyjaśnienie Ich Królewskich Mości, że pomyliły dzień spotkania – choć przyjęte wówczas bez zastrzeżeń – uznane zostało za niewystarczające przez późniejszych historyków. (Przynajmniej przez Krzywonóżkę i przeze mnie).

Omówiono kilka dalszych szczegółów i konferencja się zakończyła.

Wielki pojedynek miał się odbyć następnego ranka.

Dzień wstał przepiękny. Radowłos był na nogach od wczesnych godzin i ćwiczył ciosy na zawieszonej na sznurku poduszce. W przerwach zerkał do broszury zatytułowanej „Szermierka dla panujących", po czym wracał do poduszki. Przy śniadaniu był zdenerwowany, lecz rozmowny. Po śniadaniu napisał czuły list do Hiacynty i jeszcze czulszy do Hrabiny Bellafrygi, po czym oba spalił. Kilka razy przepowiedział sobie „Ba, bi, bo, bam", aż uzyskał doskonałą dykcję. Istniała możliwość, że wierszyk się przyda. Jadąc na pole walki, myślał o pradziadku. Nie podziwiał go, ale dostrzegał jego racje.

Pojedynek był najwyższej klasy. Najpierw Radowłos zamierzył się na głowę Króla Barodii, lecz cios został odparowany. Następnie Król Barodii wymierzył cios w głowę swojego adwersarza, ale i ten cios został odparowany. Powtórzyło się to trzy lub cztery razy, po czym Radowłos użył znakomitej sztuki, której wyuczył go Kapitan Straży Przybocznej. Kiedy przyszła na niego kolej odparowania ciosu, nie uczynił tego, lecz zamierzył się od razu na głowę przeciwnika. I gdyby ten ostatni, powodowany najzwyklejszym zdumieniem, nie potknął się i nie przewrócił, cały incydent mógłby się skończyć bardzo poważnie. Popołudnie zastało ich wciąż przy tym samym: ciach – odparowany, ciach – odparowany. Każdy cios witany był entuzjastycznie przez armię przeciwną. Gdy ciemność położyła kres pojedynkowi, honory rozdzielono po równo. Obolały, lecz dumny Król Euralii przyjął gratulacje od swoich poddanych. Był tak dumny, że musiał przed kimś otworzyć swe przepełnione serce. Napisał do córki:

Moja Droga Hiacynto!
Miło Ci będzie usłyszeć, że ojciec Twój miewa się dobrze i że Euralia jak zwykle zachowuje honor i godność. Dziś walczyłem z Królem Barodii, a biorąc pod uwagę to, że niezgodnie z regułami używał on Magicznego Miecza, można powiedzieć, że spisałem się nieźle. Hrabinę Bellafrygę zainteresuje zapewne fakt, że wymierzyłem w stronę przeciwnika 4638 ciosów, odparowałem zaś 4367. Jak na mój wiek, to całkiem niezły wynik. Pamiętasz ten czarodziejski balsam, który dawała mi ciotka? Zostało go jeszcze trochę?

Kilka dni temu udawałem świniopasa; był to niezwykle sprytny wybieg. Ze spotkanym przypadkowo prawdziwym świniopasem rozmawiałem całkiem długo na temat świń, a on nawet nie zaczął mnie podejrzewać. Sądzę, że to zainteresuje Hrabinę. Gdyby się wówczas okazało, kim naprawdę jestem, znalazłbym się w nader kłopotliwej sytuacji.

Mam nadzieję, że radzisz sobie dobrze. Czy korzystasz z pomocy Hrabiny Bellafrygi? Myślę, że mogłaby Ci służyć radą w każdym kłopocie. Mło-

dym dziewczętom trzeba opiekuńczej ręki i sądzę, że Hrabina mogłaby Ci służyć radą w każdym kłopocie. Czy korzystasz z jej pomocy?

Obawiam się, że wojna potrwa długo. Wygląda na to, że w całym tym kraju nie ma ani jednego czarnoksiężnika, a bez czarnoksiężnika nie bardzo wiadomo, co robić dalej. Często powtarzam moje zaklęcie – pamiętasz je?

Ba, bi, bo, bam.
La, li, lo, lam.

Bez wątpienia odstrasza ono smoki, ale jakoś nie zbliża nas do pokonania wroga. Możesz powiedzieć Hrabinie Bellafrydze o moim zaklęciu; być może ją to zainteresuje.

Jutro czeka mnie dalszy ciąg pojedynku z Królem Barodii. Jestem już całkiem pewny, że zdołam go pokonać. Dobrze paruje ciosy, ale sam mierzy nie najlepiej. Cieszę się, że Hrabina odnalazła mój miecz; powiedz jej, że bardzo mi się przydał.

Muszę już kończyć, ponieważ czas iść spać, jeśli mam być jutro gotów do walki. Do zobaczenia, moja droga!

Twój zawsze kochający ojciec

P.S. Mam nadzieję, że nie jest Ci zbyt trudno. Gdy-
byś miała jakiekolwiek kłopoty, powinnaś zwrócić
się do Hrabiny Bellafrygi. Myślę, że będzie umiała
Ci poradzić. Nie zapomnij o balsamie. Może Hrabi-
na zna jakiś inny. Boję się, że wojna potrwa długo.

Król zapieczętował list i wysłał go następnego ranka przez posłańca. List dotarł do Hiacynty w krytycznym momencie. W następnym rozdziale przekonamy się, jakie wywarł na niej wrażenie.

Księżniczka otrzymuje
i pisze list

Księżniczka Hiacynta wróciła z porannej konnej przejażdżki w bardzo złym humorze. Udała się prosto w swoje ulubione miejsce na zamkowych murach i posłała po Treskę.

– Tresko – zapytała – co się ze mną dzieje?

Treska zrobiła zdumioną minę. Przed chwilą odkurzała książki w bibliotece, a gdy odkurza się książki, nie sposób od czasu do czasu nie zerknąć do środka, a skoro zerknie się już raz, to zerka się drugi i trzeci, toteż gdy odkurzanie dobiegnie końca, człowiek ma głowę tak pełną nowo poznanych rzeczy, że trzeba mu zadawać pytania bardzo, bardzo powoli.

– Jestem ładna, prawda? – zapytała Hiacynta.

To pytanie było łatwe.

– Śliczna! – odparła Treska, biorąc głęboki wdech.

– I nikogo nie krzywdzę?

– Skąd! – żachnęła się Treska.

– Dlaczego więc... Och, Tresko, wiem, że to głupie, ale tak mnie boli, że mój lud o wiele bardziej lubi Hrabinę niż mnie.

– To nie może być prawda, Wasza Królewska Mość.

– Wiwatują na jej widok o wiele głośniej niż na mój.

Treska usiłowała wymyślić jakiś sposób na pocieszenie swojej pani, ale głowę miała wciąż pełną ostatniej z odkurzanych książek.

– Za co oni ją tak lubią? – upierała się Hiacynta.

– Może za to, że jest taka śmieszna – podsunęła Treska.

– Śmieszna? Ona jest śmieszna? – zdumiała się chłodno Księżniczka. – Mnie tam ona nie śmieszy.

– A jednak pomysł, żeby Truśka maszerowała w kółko dookoła drzewa, był zabawny, nieprawdaż?

– Jak to? Nie chcesz chyba powiedzieć... – Oczy Księżniczki rozszerzyły się w zdumieniu. – To przez cały czas była Truśka?

– Tak, Wasza Wysokość. Czy to nie uroczy i zabawny pomysł?

Księżniczka odwróciła wzrok w stronę puszczy i w zamyśleniu kiwnęła głową.

– Tak. Więc to tak. Tresko, nie wierzę, że kiedykolwiek istniała u nas jakaś armia... A ja im co tydzień wypłacałam żołd! – I z namaszczeniem dodała: – Chwilami wydaje mi się, że ta kobieta jest nie całkiem uczciwa.

– To znaczy, że ona nie jest dobra? – spytała Treska zdjęta grozą.

Hiacynta przytaknęła.

– Ja też nie jestem dobra – powiedziała z determinacją Treska.

– Co ty wygadujesz, głuptasie? Jesteś najlepszą dziewczynką w Euralii.

– Nie jestem. Czasami robię straszne rzeczy. Wiesz, co zrobiłam wczoraj?

– Pewnie coś potwornego! – uśmiechnęła się Hiacynta.

– Rozdarłam fartuszek.

– Ależ z ciebie dziecko! Przecież to nie znaczy, że jesteś niegrzeczna – odparła machinalnie Hiacynta. Wciąż myślała o nieszczęsnej paradzie wojska.

– Hrabina mówi, że znaczy.

– Hrabina!

– Wiesz, czemu chciałabym być bardzo grzeczna? – spytała Treska, przysuwając się bliżej Księżniczki.

– Czemu, moje dziecko?

– Bo wtedy mogłabym tańczyć jak wróżka.

– A więc to tak? – zapytała ubawiona Księżniczka. – Domyślam się, że Hrabina tańczy jak słoń. – Nagle coś jej się przypomniało: – Ale, ale, miałaś mi przecież opowiedzieć o Wróżce, którą kiedyś spotkałaś, prawda? To było parę tygodni temu. Opowiedz mi teraz. Pomoże mi to zapomnieć o rzeczach, które psują mi humor.

Była to prosta opowiastka. W książkach, które Treska odkurzała, musiało być takich wiele, ale wszystko to działo się w czasach prostoty, kiedy nawet najstarsza opowieść wydawała się nowa.

Treska wybrała się do puszczy sama. Wtem podbiegł do niej maleńki zajączek, ścigany przez fretkę. Treska podniosła puchate stworzonko i zaczęła je uspokajać. Fretka zwolniła, przeszła obok najzupełniej obojętnie, z rękami w kieszeniach, zawahała się przez chwilę i nagle przypomniała sobie o ważnym liście, który zapomniała wrzucić do skrzynki. Treska została sama z zajączkiem, ale zanim zdążyła cokolwiek zrobić, zajączek zniknął, a przed dziewczynką stała Wróżka.

– Ocaliłaś mi życie – powiedziała Wróżka. – Ścigał mnie zły czarownik i gdyby mnie teraz złapał, na pewno by mnie zabił.

– Za pozwoleniem Waszej Wróżkości, nie wiedziałam, że Wróżka może umrzeć – powiedziała Treska.

– Tak, jeśli przybierze akurat postać zwierzęcia lub człowieka. Teraz nic by mi nie zrobił, ale przed chwilą... – zadrżała.

– Bardzo się cieszę, że Wróżka jest już bezpieczna – powiedziała uprzejmie Treska.

– To dzięki tobie, moje dziecko. Muszę cię wynagrodzić. Weź ten pierścień. Jeśli będziesz przez cały dzień grzeczna, możesz wyrazić jedno grzeczne życzenie, a jeśli przez cały dzień będziesz niegrzeczna, pierścień spełni jedno niegrzeczne życzenie. Pierścień ten spełnia jedno życzenie grzeczne i jedno życzenie niegrzeczne – nie więcej.

Z tymi słowami zniknęła, pozostawiając Treskę z pierścieniem w dłoni.

Od tamtej chwili Treska ciągle starała się być grzeczna, aby poprosić pierścień o spełnienie grzecznego życzenia, ale nie było to łatwe. Zawsze coś poszło nie tak: a to rozdarła fartuszek, a to czytała książki zamiast je odkurzać, a to... I wy, i ja na pewno poddalibyśmy się od razu i spróbowali zasłużyć na spełnienie niegrzecznego życzenia. Ale Treska była dziewczynką grzeczną i ambitną.

– Ojej, tak bym chciała być grzeczna – zwierzyła się Treska Księżniczce. – Wtedy mogłabym życzyć sobie, żebym tańczyła jak wróżka. – Zawahała się nagle. – To jest grzeczne życzenie, prawda?

– To prześliczne życzenie, ale jestem pewna, że i bez niego umiałabyś ślicznie zatańczyć, gdybyś się postarała.

– Nie – zaprzeczyła Treska. – Umiem tylko tak.

Podskoczyła i przetańczyła kilka kroków. Treska była sympatyczną dziewczynką, ale kiedy patrzyło się na jej taniec, człowiek wyobrażał sobie zapyloną drogę pnącą się wciąż pod górę, na końcu której czeka na wędrowca jedynie talerz zupy mlecznej. Coś w tym rodzaju.

– Niezbyt zgrabnie, prawda? – zapytała otwarcie, przystając dla zaczerpnięcia tchu.

– Wydaje mi się, że wróżki istotnie tańczą trochę lepiej.

– I właśnie dlatego chcę być grzeczna – żebym mogła wyrazić swoje życzenie.

– Muszę obejrzeć ten pierścień – powiedziała Księżniczka. – Opowieść była fascynująca. – Spojrzawszy przed siebie, dodała lodowatym tonem: – Witam, Hrabino. (Jak długo ta baba już tu jest?)

– Dzień dobry, Wasza Królewska Mość. Ośmieliłam się przyjść bez zapowiedzi. Och, dziecinka moja słodka. – Machnęła pieszczotliwie ręką w stronę Treski.

(Nawet jeśli coś podsłuchała, weźmie to tylko za dziecięce bajdurzenie).

– O co chodzi? – zapytała Księżniczka. Zacisnęła dłonie na oparciu fotela. Tym razem n i e, n i e, n i e ulegnie Hrabinie.

– Chodzi o drobiazg, Wasza Królewska Mość: o Plan Rozwoju Literatury. Wasza Królewska Mość mądrze postanowiła, że pod nieobecność mężczyzn, zajętych srogimi trudami wojny, zadanie rozwijania sztuk pięknych spada na nas, kobiety. Z tej to przyczyny... mówiło się kiedyś o konkursie i...

– A tak – odparła nerwowo Hiacynta. – Zajmę się tym jutro.

– Konkurs – powiedziała Bellafryga, rzucając nieobecne spojrzenie ponad głową Hiacynty. – Jakaś nagroda pieniężna... – dodała jak w transie.

– Zdecydowanie powinno się przyznać jakąś nagrodę – zgodziła się Księżniczka. (Czemu by nie, spytała samą siebie, skoro ma się popierać rozwój literatury?)

– Sakiewki złota – mruczała pod nosem Bellafryga. – Dużo sakiewek ze złotem. Duże sakiewki srebra i małe sakiewki złota.

Już widziała, jak rozrzuca je wśród tłumu.

– Dobrze, zajmiemy się tym jutro – rzekła pośpiesznie Hiacynta.

– Mam to przy sobie, już wypisane – powiedziała skwapliwie Bellafryga. – Wasza Królewska Mość raczy tylko podpisać. To oszczędzi wielu kłopotów – dodała z rozbrajającym uśmiechem. Rozłożyła dokument, micniący się najpiękniejszymi barwami.

Księżniczka machinalnie podpisała.

– Dziękuję, Wasza Królewska Mość – uśmiechnęła się znowu Hrabina, po czym dodała: – Najlepiej będzie, jak zajmę się tym od razu.

Strażniczka Literatury z godnością pożegnała swoją władczynię i odeszła.

Hiacynta spojrzała na Treskę z rozpaczą.

– Widzisz? – powiedziała. – Tak to ze mną jest. Nie wiem, co ta kobieta w sobie ma, ale czuję się przy niej jak dziecko. Och, Tresko, Tresko, jestem czasem taka samotna wśród tych wszystkich kobiet. Chciałabym mieć jakiegoś mężczyznę do pomocy.

– A czy w s z y s c y mężczyźni ze w s z y s t k i c h krajów są teraz na wojnie?

– Nie ze wszystkich krajów. Pozostaje Arabia. Czy nie pamiętasz... ale ty oczywiście nie możesz nic o tym wiedzieć. Ojciec zamierzał właśnie poprosić Duda, Księcia Arabii, aby złożył nam wizytę, kiedy wybuchła ta wojna. Och, chciałabym, tak bardzo bym chciała, żeby ojciec już wrócił. – Ukryła twarz w dłoniach.

Nie potrafię wam powiedzieć, czy uroniłaby tylko kilka królewskich łez, czy też porządnie by się wypłakała, bo właśnie w tej chwili weszła heroldka i Hiacynta natychmiast się opanowała.

– Zbliża się posłaniec na koniu, Wasza Wysokość – oznajmiła heroldka. – Niewątpliwie z obozu Jego Wysokości.

Z radosnym piskiem i bez śladu królewskiej godności, Księżniczka rzuciła się na spotkanie posłańca, a za nią pobiegła wierna Treska.

Co tymczasem działo się z Hrabiną? Była w Pałacu, a dokładniej w Sali Tronowej Pałacu.

Nie mogła się oprzeć pokusie. Gdy wróciła ze spotkania z Księżniczką, drzwi Sali Tronowej były otwarte i Hrabina poczuła, że musi wejść do środka. W środku pracowała sprzątaczka, która rzuciła wchodzącej Bellafrydze pytające spojrzenie.

– Możesz wyjść – rzekła godnie Hrabina. – Jej Królewska Mość kazała mi poczekać tu na siebie.

Sprzątaczka dygnęła i wyszła.

Wówczas Hrabina wyrzekła to oto pamiętne słowa:

– Gdy ja zostanę Królową Euralii, będą wychodzić tyłem!

Potem zrobiła rzecz jeszcze bardziej zdumiewającą.

Stanęła przy drzwiach i zwinąwszy dłoń przy ustach, zawołała cienko:

– Tra-ta-ta-ta, tra-ta-ta-ta-ta-ta. – Po czym odjęła dłoń od ust i głośno oznajmiła: – Jej Wysokość Królowa Bellafryga Pierwsza! – Po czym trochę powiwatowała.

Weszła Królowa – wielce dostojna, dystyngowana i pełna gracji, nie żadna tam siedemnastoletnia dzierlatka. Rozdając na prawo i lewo łaskawe skinienia, zbliżała się do tronu, na którym zasiadła w końcu, odgarnąwszy tren sukni.

Przedstawiono jej dworzan, ambasadorów obcych krajów, Królewicza Pałatkę z Tregongu, Królewicza Ulryka i Księcia Wyżoniziny.

– Ach, drogi Królewicz Pałatka – zawołała, wyciągając prawą rękę – i drogi Królewicz Ulryk – wdzięcznie podała mu lewą dłoń – i Książę, ty także! – Jej prawa dłoń, z którą właśnie skończył Królewicz Pałatka, powędrowała w stronę Księcia Wyżoniziny, aby i on mógł ją ucałować.

Ale zatrzymała się w pół drogi. Hrabina poczuła raczej, niż zauważyła, że Księżniczka obserwuje ją ze zdumieniem od drzwi.

Nie patrząc na Hiacyntę, Bellafryga wyrzuciła w bok najpierw jedną, a potem drugą rękę, po czym, jakby dopiero teraz dostrzegła Księżniczkę, podskoczyła z uroczym zażenowaniem.

– Och, Wasza Królewska Mość przyłapała mnie na gimnastyce! – zawołała. Zaśmiała się, zadowolona z siebie. – Gimnastyka. Ćwiczenie mięśni ramion. – Ponownie wyprostowała rękę. – Wzmacnia... wzmacnia... wzmacnia...

Jej głos powoli zamierał pod lodowatym spojrzeniem Księżniczki.

– Urocze, Hrabino – rzekła Hiacynta. – Przykro mi, że ci przerywam, ale mam dla ciebie wiadomości. Ucieszy cię zapewne, że zapraszam do nas Królewicza Dudo z Arabii. Odnoszę wrażenie, że przydałoby się nam wsparcie z zewnątrz.

– Królewicza Dudo? – krzyknęła Hrabina. – Tutaj?

– Czy masz coś przeciwko temu? – zapytała Hiacynta. Tym razem było jej łatwo okazać nieustępliwość, gdyż zaproszenie zostało już wysłane przez królewskiego posłańca. Żadne słowo Hrabiny nie mogło cofnąć decyzji.

– Absolutnie nic, Wasza Królewska Mość, tylko to takie nieoczekiwane. I te wydatki! Mężczyźni są strasznymi żarłokami. Ponadto – przeniosła czarujący uśmiech z Księżniczki na Treskę – tak nam było dobrze razem! Naturalnie, gdyby któregoś popołudnia wpadł na herbatkę...

– Mam nadzieję, że jego wizyta potrwa kilka miesięcy.

W Barodii nie było czarnoksiężników i dlatego zanosiło się na długą wojnę. To właśnie wpłynęło na postanowienie Hiacynty.

– Naturalnie – odparła Bellafryga. – Jak Wasza Królewska Mość sobie życzy. Ale sądzę, że Jego Wysokość...

– Moja droga Hrabino – uśmiechnęła się Księżniczka. – Zaproszenie jest już wysłane, więc nie ma o czym dyskutować, prawda? Skończyłaś swoją gimnastykę? Tak? Wobec tego, Tresko, odprowadź Hrabinę na dół.

Hiacynta odwróciła się i wyszła. Hrabina patrzyła za nią przez chwilę, a potem stanęła w pozie tragicznej na środku sali, z dziennikiem przyciśniętym do piersi.

– To straszne! – powiedziała. – Czuję się o całe lata starsza. – Odsunęła dziennik na odległość wyciągniętej ręki i ponuro dodała: – Co ja tu jutro napiszę? – Ta myśl trochę ją rozweseliła. Jak tu podejść tego wstrętnego młokosa, który ma ich wszystkich poustawiać na właściwych miejscach? Marzyła o...

I nagle coś sobie przypomniała.

– Tresko – powiedziała. – Co to takiego mówiłaś Księżniczce o życzeniach?

– Chodziło o mój pierścień – wyjaśniła skwapliwie Treska. – Jeśli było się grzecznym przez cały dzień, można mieć jedno grzeczne życzenie. A moim życzeniem jest...

– Życzenie! – powiedziała do siebie Bellafryga. – Życzyłabym sobie, żeby... – Olśniła ją pewna myśl.

- Mówisz, że najpierw trzeba być grzecznym przez cały dzień?

- Tak

Bellafryga zamyśliła się.

- Ciekawe, co to znaczy być g r z e c z n y m? zapytała.

- Oczywiście – wyjaśniła Treska – jeśli przez cały dzień byłoby się niegrzecznym, można żądać spełnienia niegrzecznego życzenia. Ale ja bym tego wcale nie chciała, a pani?

- Strasznie bym nie chciała, moje dziecko – odparła Bellafryga. – Czy mogłabym... rzucić okiem na ten pierścień?

- Proszę bardzo – zgodziła się Treska. – Zawsze noszę go na szyi.

Hrabina wzięła pierścień.

- Posłuchaj! – powiedziała. – Zdaje mi się, że Księżniczka cię wzywa. Biegnij szybko, dziecinko. – Niemal wypchnęła Treskę z sali i zamknęła za nią drzwi.

Ledwie znów została sama, zaczęła przemierzać wielką komnatę od ściany do ściany, z prawym łokciem wspartym na lewej dłoni i podbródkiem spoczywającym na prawej.

- Jeśli się cały dzień było grzecznym – rozważała – można wyrazić grzeczne życzenie. Jeśli się cały

93

dzień było niegrzecznym, można wyrazić niegrzeczne życzenie. Wczoraj pobrałam dziesięć tysięcy sztuk złota dla armii; koszty zrównoważyły wydatki... ile jestem winna Truśce... Sądzę, że to właśnie ludzie ograniczeni nazwaliby niegrzecznością... Sądzę, że ten cały Królewicz Dudo nazwałby to niegrzecznością... Jemu się pewnie wydaje, że poślubi Księżniczkę i wtrąci mnie do więzienia. – Dumnie potrząsnęła głową. – Nigdy!

Stojąc pośrodku olbrzymiej Sali Tronowej, uniosła pierścień w obu dłoniach i wypowiedziała życzenie.

– Życzę sobie – powiedziała, a w jej oczach zaigrał straszliwy uśmieszek – życzę sobie, żeby coś bardzo... bardzo ś m i e s z n e g o przytrafiło się Królewiczowi Dudo podczas podróży.

Królewicz Dudo
nie śpi zbyt dobrze

Każdemu zależy na tym, aby podczas pierwszej wizyty gdziekolwiek wypaść jak najlepiej, bywały jednak chwile, tuż przed dotarciem do Euralii, kiedy Królewicz Dudo wątpił, czy cała sprawa powiedzie się tak dobrze, jak tego oczekiwał. Zaraz dowiecie się czemu.

Dudo polował był w towarzystwie swego przyjaciela, młodego Księcia Całkownika, i właśnie wracał do domu, gdy spotkał go posłaniec Hiacynty. Dudo odebrał list, złamał pieczęcie i rozwinął pismo.

– Poczekaj chwilę, Całkowniku – poprosił przyjaciela. – Zanosi się na przygodę, a jeśli zanosi się na przygodę, to będę cię potrzebował.

– Nie spieszy mi się – powiedział Całkownik, schodząc z konia i oddając go pod opiekę giermkowi.

Droga krzyżowała się w tym miejscu ze strumieniem. Całkownik przysiadł na małym kamiennym mostku i od niechcenia rzucał kamyki do wody.

Królewicz czytał list.

Plum... plum... plum... plum...

Królewicz oderwał wzrok od listu.

– Ile dni drogi dzieli nas do Euralii? – zapytał Całkownika.

– Jak długo jechał do nas posłaniec? – odpowiedział Całkownik, nie patrząc na Królewicza. (Plum).

– Sam potrafiłbym na to wpaść – powiedział Dudo – tylko ten list trochę mnie zbił z pantałyku. – Odwrócił się do posłańca: – Jak długo...

– List nie ma daty? – zapytał Całkownik. (Plum).

Dudo nie zwrócił uwagi na ten wtręt i dokończył swoje pytanie.

– Tydzień, Wasza Wysokość.

– Jedź do zamku i czekaj na mnie. Będę miał dla ciebie wiadomość.

– No i co? – spytał Całkownik, kiedy posłaniec się oddalił. – Przygoda?

- Tak mi się zdaje. Myślę, że możemy to tak określić, Całkowniku.

- Ja też mam brać w niej udział?

- Tak, myślę, że i dla ciebie znajdzie się tam miejsce.

Całkownik przestał rzucać kamyki i odwrócił się do Królewicza.

- Czy mogę poznać szczegóły?

Dudo podał mu list, ale natychmiast – czując instynktownie, że list od damy to sprawa nazbyt intymna – zabrał go z powrotem. Chlubił się tym, że zawsze wie, jak się zachować.

- To od Księżniczki Hiacynty z Euralii – powiedział. – Pisze niewiele. Jej ojciec wyjechał się bić, a ona została sama i ma jakieś kłopoty. Powinna z tego wyniknąć niezła przygoda.

Całkownik odwrócił się do niego plecami i zaczął znów rzucać kamyki do strumienia.

- No cóż, życzę ci szczęścia – powiedział. – Jeśli w rachubę wchodzi smok, pamiętaj, że...

- Przecież ty jedziesz ze mną – zaprotestował Dudo oburzony. – Musisz ze mną jechać.

- Po co?

- Co?

- Po co? – powtórzył Całkownik.

– No... – zastanowił się Dudo. – No, ty... no.

Czuł, że Całkownik postępuje nie fair, zadając takie pytania. Całkownik wiedział doskonale, co miałoby należeć do jego obowiązków. Pod nieobecność Duda opowiadałby Księżniczce Hiacyncie o jego niezrównanej odwadze i mądrości. Od czasu do czasu mógłby też zacząć dyskusję na temat męskiej urody, w której mimochodem wspomniałoby się o powierzchowności Królewicza. Gdyby zaś Królewicz Dudo kręcił się przypadkiem w pobliżu, Całkownik znalazłby niewątpliwie okazję, aby podkreślić jego zalety, okazję, której nikt obcy nie byłby w stanie wykorzystać.

Tego wszystkiego nie można było, oczywiście, otwarcie wyłożyć Całkownikowi. Człowiek posiadający choćby odrobinę taktu, sam domyśla się takich rzeczy.

– Oczywiście – powiedział Królewicz. – Nie jedź, jeśli nie masz ochoty. Ale wyglądałoby to dość śmiesznie, gdybym pojechał w ogóle bez świty, a poza tym... Jej Książęca Mość jest podobno bardzo piękna – zakończył niezdarnie.

Całkownik roześmiał się. Bywają przygody i przygody; siedzenie naprzeciwko pięknej Księżniczki i dyskutowanie z nią o wielkiej urodzie innego mężczyzny nie było akurat tą przygodą, jakiej szukał.

Wrzucił do strumyka resztę kamieni i podniósł się z miejsca.

– Naturalnie, jeśli Wasza Wysokość sobie życzy...

– Nie bądź niemądry, Całkowniku – odparł Jego Wysokość dość zjadliwie.

– Dobrze więc: pojadę z moim przyjacielem Dudo, skoro on mnie potrzebuje.

– Potrzebuję cię bardzo.

– Zatem sprawa załatwiona. Ostatecznie – rzekł sam do siebie – może znajdą się tam dwa smoki.

Dwa smoki oznaczałyby po sztuce dla każdego. Ale Księżniczka była tylko jedna.

W trzy dni później przyjaciele w jak najlepszych humorach wyruszyli na szukanie przygody. Posłańca odesłano, by oznajmił o ich rychłym przybyciu; dali mu trzy dni wyprzedzenia w nadziei, że dwa dni nadrobią po drodze. Zgodnie z naiwnym obyczajem owych czasów (tak to wynika z relacji Krzywonóżki) wyruszyli bez bagażu i bez pojęcia, gdzie będą nocować. Jest to w końcu najlepszy sposób wyruszania w podróż. Sakwojaż całkiem pozbawił podróże romantyzmu.

Wyruszyli w piękny letni dzień; mijali wieże i blanki, i srebrzyste strumyki, ginęli w wysokich sosnowych lasach i wyłaniali się ponownie na światło dzienne opodal sennych wiosek, a gdy tak jechali, Całkownik śpiewał na cały głos, Dudo zaś podrzucał miecz w górę i zręcznie go chwytał. A kiedy zapadł zmrok, zapukali do chatki drwala u stóp wysokiego wzgórza i tam postanowili przenocować. Powitała ich stara kobieta.

– Dobry wieczór, Wasza Wysokość – powiedziała.

– Pani mnie zna? – zapytał Dudo, bardziej uradowany niż zdziwiony.

– Znam wszystkich, którzy przychodzą do mojego domu – odparła z powagą staruszka. – I wszystkich, którzy z niego wychodzą.

Całkownikowi od takich rozmów dreszcz przebiegał po plecach. Dzielenie ludzi na tych, którzy wchodzili do chaty, i tych, którzy z niej wychodzili, wcale mu się nie podobało.

– Czy możemy tu przenocować, moja droga kobieto? – zapytał Dudo.

– Skaleczyłeś się w rękę – powiedziała, nie zważając na jego pytanie.

– To nic – zapewnił ją Dudo pośpiesznie.

Raz, przez pomyłkę, złapał miecz za ostrze, co istotnie było dosyć nieroztropne.

– No tak, skoro tam, dokąd jedziesz, ręce nie będą ci potrzebne, nie ma to większego znaczenia.

Stare kobiety w owych czasach często wypowiadały podobne sentencje, Dudo nie poświęcił więc ostatnim słowom większej uwagi.

– Tak, tak – powiedział. – Ale czy mogłaby pani przenocować tu dziś mojego przyjaciela i mnie?

– Skoro i tak już wkrótce będziecie podróżować oddzielnie, wejdźcie i rozgośćcie się.

Otworzyła drzwi i wprowadziła ich do środka.

Gdy przekraczali próg, Dudo chyłkiem szepnął Całkownikowi przez ramię:

– To chyba wróżka. Bądź dla niej miły.

– Dlaczego ja mam być miły dla gospodyni? – zdziwił się Całkownik. – To ona powinna być miła dla nas.

– Oj, dobrze wiesz, o co mi chodzi: nie bądź wobec niej niegrzeczny.

– Mój drogi Dudo, m n i e to mówisz, mnie, dumie Arabii, ulubionemu dworzaninowi Jego Wysokości, naj...

– Dobrze już, dobrze – przerwał mu Dudo.

– Siądźcie i odpocznijcie – powiedziała kobieta. – Zaraz coś się dla was znajdzie w garnku.

– Świetnie – ucieszył się Dudo. Z uznaniem spojrzał na spory kociołek wiszący nad paleniskiem. Jak na takie małe pomieszczenie palenisko było całkiem spore. Tak pomyślał, spojrzawszy na nie pierwszy raz, ale im dłużej się przyglądał, tym pokój stawał się większy, a palenisko odsuwało się coraz dalej, aż Dudo stwierdził, że znajduje się w olbrzymiej jaskini, sięgającej głęboko w zbocze góry. Przetarł oczy i na powrót ujrzał małą kuchenkę. Z kotła dobywał się smakowity zapach.

– Znajdzie się tu coś dla każdego podniebienia – obiecała kobieta. – Nawet dla Królewicza Dudo.

– Nie jestem aż tak wybredny – zaprotestował Dudo łagodnie. Komnata znowu wydłużyła się na pół kilometra i Królewicz poczuł się speszony.

– Teraz nie, ale to się zmieni.

Nałożyła każdemu z nich pełen talerz, a oni, przysunąwszy krzesła do stołu, z zapałem wzięli się do jedzenia.

– Przepyszne – pochwalił Dudo, odkładając łyżkę, żeby chwilę odsapnąć.

– Człowiek ma wrażenie, że to właśnie zawsze było jego ulubionym przysmakiem, prawda? – podchwyciła stara kobieta.

– Nigdy nie odmówię tak świetnie przyrządzonej potrawy.

– Ach – odparła z namysłem staruszka.

Dudowi powoli przestawał podobać się jej szczególny sposób prowadzenia rozmowy. Każdym zdaniem sugerowała, że Królewiczowi może się przypadkiem zdarzyć coś bardzo niemiłego. Całkownika najwyraźniej nie miało to dotyczyć. Dudo podjął próbę wciągnięcia kompana do rozmowy, aby wybadać, czy starucha i dla niego coś szykuje.

– Mój przyjaciel i ja – powiedział – mamy nadzieję dotrzeć pojutrze do Euralii.

– Nadzieja to nic zdrożnego – padła odpowiedź.

– Ojej, czy coś może nam się stać po drodze?

– To zależy, co rozumiesz przez „nas".

Całkownik odsunął krzesło i wstał.

– Wiem, co stanie się ze mną – powiedział. – Pójdę spać.

– W rzeczy samej – poparł go Dudo, także podnosząc się z miejsca. – Mamy przed sobą długi dzień i wygląda na to, że szykuje nam się jakaś przygoda... że n a m szykuje się jakaś przygoda. – Spojrzał wyczekująco na kobietę, ale nie otrzymał żadnego znaku. – A więc chodźmy spać.

– Tędy – pokazała kobieta i przy świetle świecy powiodła ich na górę.

Dudo nie spał najlepiej. Miał przeczucie (podobnie jak wy teraz), że coś mu się przydarzy. Dlatego też był nieco zaskoczony, gdy rankiem obudził się w tej samej postaci, w jakiej położył się spać. Uważnie przejrzał się w lustrze, a następnie poprosił Całkownika, żeby obejrzał go jeszcze raz; żadna z lustracji nie ujawniła niczego niepokojącego.

– W końcu – powiedział Dudo – może ona niczego konkretnego nie miała na myśli. Stare kobiety często tak gadają. Jeżeli już ktoś miałby się w coś zamienić, to raczej ty.

– Czy to dlatego mnie ze sobą zabrałeś? – spytał Całkownik.

Myślę, że do tej chwili zdążyli się ubrać. Krzywonóżko w ogóle nie wspomina o tych ważnych sprawach – zapewne przez pruderię. Mówi: „Wstali następnego ranka" – i pozbawia nas widoku Duda szczotkującego włosy. Wstali i zeszli na śniadanie.

Starucha była już w mniej tajemniczym nastroju. Szczególnie gościnnie podejmowała Duda, wydobywając dlań z sekretnej spiżarni najróżniejsze łakocie. Całkownikowi wydawało się wręcz, że baba chce Królewicza upaść w jakimś sobie tylko znanym celu, ale Dudo tak niechętnie odniósł się do owego podejrzenia, że Całkownik postanowił nie rozwijać tematu.

Ledwie śniadanie zostało zjedzone, przyjaciele ruszyli w dalszą drogę. Dudo zaoferował starej kobiecie jedną z licznych sakiewek złota, jakie miał przy sobie, ale odmówiła.

– Nie, nie – powiedziała. – I tak dostanę swoją nagrodę, zanim dzień się skończy.

Mówiąc to, uśmiechnęła się do siebie, jakby znała dowcip, który Królewicz i Całkownik dopiero mieli poznać.

– Podoba mi się dzisiejszy dzień – powiedział Całkownik, gdy już siedzieli na koniach. – W powietrzu pachnie przygodą. Czerwone dachy, zielone drzewa, błękitne niebo, biała ścieżyna – mógłbym się dzisiaj zakochać.

– W kim? – zapytał podejrzliwie Dudo.

– Wszystko jedno, choćby w tej starej babie.

– Nie mówmy już o niej – rzekł Królewicz z niesmakiem. – Czy nie odniosłeś, Całkowniku, wrażenia, że ona zna dowcip, którego ty jeszcze nie znasz?

– Może już wkrótce go poznamy. W taki ranek niewiele mi trzeba do śmiechu.

– Och, ja także mam poczucie humoru nie mniejsze niż inni – oświadczył Dudo. – Nie bój się, będę pękał ze śmiechu. Wszystko jedno, co to ma być za żart, z pewnością będzie go można opowiedzieć Księżniczce Hiacyncie – dodał poważnie i widać było, że ta ostatnia myśl dopiero co przyszła mu do głowy. – Nie mogę się już doczekać, żeby przyjść jej z pomocą. – I jakby na poparcie swego zniecierpliwienia ściągnął gwałtownie cugle i wysforował się przed towarzysza. Całkownik podążał za nim leniwie, uśmiechając się do siebie.

W południe stanęli w lesie i sporządzili posiłek z zapasów, które dała im na drogę stara kobieta. A gdy już zjedli, Dudo wyciągnął się na obrośniętym mchem zboczu i zamknął oczy.

– Spać mi się chce – powiedział. – Miałem niespokojną noc. Odpocznijmy tu chwilę, nie ma się co spieszyć.

– Osobiście – zaczął Całkownik – nie mogę się doczekać, żeby przyjść jej z pomocą...

– Mówię ci, że spałem dziś bardzo niedobrze.

– W takim razie rozejrzę się za smokami. Całkownik Smokobójca. Do zobaczenia.

– Tylko pół godzinki – powiedział Dudo.

– W porządku.

Kiwnąwszy Królewiczowi głową, Całkownik zniknął pomiędzy drzewami.

Dudo sieje postrach

Ciężko mi pisać ten rozdział. Na szczęście, będzie on krótki. Z czasem przywyknę do sytuacji, a nawet będę skłonny rozwodzić się nad jej stroną humorystyczną, ale na razie dostrzegam tylko jej tragizm. Że też musiało się to przydarzyć Królewiczowi Arabii, młodzieńcowi tak szacownemu jak Dudo! Krzywonóżko po prostu się w tym miejscu załamuje. „Ta podła kobieta" – mówi (z myślą oczywiście o Bellafrydze) i przez więcej niż stronę przeżywa atak histerii.

Spróbujmy opisać rzecz spokojnie.

Całkownik wrócił z przechadzki z taką samą nonszalancją, z jaką na nią wyruszył, i spoczął leni-

wie na trawie, czekając, aż Dudo będzie gotów ponownie dosiąść konia. Nie myślał o Królewiczu.
Zastanawiał się, czy Księżniczka Hiacynta ma damę
dworu niezwykłej urody albo też smoka niezwykłej
złośliwości, czy, mówiąc krótko, znajdą się w Euralii jakieś przygody dla takiego szaraczka jak on.

– Całkowniku! – dobiegł go z tyłu słaby głosik.
Obojętnie zwrócił twarz w tamtym kierunku.

– Hej, Dudo, gdzie jesteś? – zapytał. – Nie powinniśmy przypadkiem ruszać dalej?

– Nie ruszamy – odparł głos.

– Co się stało? Dlaczego chowasz się w krzakach? Co się stało, Dudo?

– Niezbyt dobrze się czuję.

– Biedny Dudo, a co się stało? – Całkownik zerwał się na nogi i skierował w stronę głosu przyjaciela.

– Stój! – zażądał piskliwy głos. – To rozkaz!
Całkownik zatrzymał się.

– Rozkazy Waszej Wysokości... – zaczął tonem
raczej chłodnym.

Z krzaków dobiegło go złowróżbne posapy-
wanie.

– Całkowniku – odezwał się wreszcie żałosny
głos. – Chyba już sam wyjdę.

Całkownik czekał w milczeniu, zastanawiając się, co to wszystko ma znaczyć.

– Tak jest, Całkowniku, wychodzę – zdecydował się głos. – Ale nie dziw się, jeśli nie będę wyglądał zbyt pięknie. Jestem... jestem... jestem... tutaj, Całkowniku – rzekł dramatycznie Dudo, opuszczając krzaki.

Całkownik nie wiedział, czy śmiać się, czy płakać.

Biedny Królewicz Dudo!

Miał głowę i długie uszy królika, a mimo to zachował – na nieszczęście – wyraz twarzy Królewicza Dudo. Miał grzywę i ogon lwa. Trudno określić, czym był między grzywą a ogonem, ale całą postać otaczała aura dostojeństwa właściwa pelisie oblamowanej karakułami.

Całkownik zdecydował, że sytuacja wymaga ogromnego taktu.

– No, nareszcie jesteś! – zawołał. – Jedziemy dalej!

– Nie bądź głupi, Całkowniku – rzekł Dudo, prawie płacząc. – Nie udawaj, że nie widzisz mojego ogona.

– O rany! Rzeczywiście! Ogon! Coś podobnego!

Dudo zademonstrował własny stosunek do ogona, machając nim z irytacją.

– Nie pora na uprzejmości – rzekł. – Powiedz, jak ja wyglądam?

Całkownik wahał się przez chwilę.

– Całkiem szczerze? – zapytał.

– Tttak – odparł Dudo nerwowo.

– Całkiem szczerze, Wasza Wysokość wygląda... śmiesznie.

– B a r d z o śmiesznie? – spytał Dudo z nadzieją.

– B a r d z o śmiesznie – odparł Całkownik.

Jego Wysokość westchnął.

– Tego się obawiałem – rzekł. – I to jest właśnie okrutne. Gdybym został lwem, w moim położeniu byłby jakiś tragiczny splendor. Lew: samotny... odseparowany... znoszący cierpienia w królewskiej samotności. – Wyjaśniająco machnął łapą. – Nawet w najohydniejszej bestii może drzemać godność. – Zamyślił się. – Czy widziałeś kiedyś jaka, Całkowniku? – zapytał.

– Nigdy.

– A ja widziałem, w Barodii. Nie jest to piękne zwierzę, Całkowniku, ale nawet jako jak mógłbym dać się lubić. Ludzie nie śmieją się z jaka, a skoro się nie śmieją, to mogą pokochać... Jak wygląda moja głowa?

– Wygląda... uderzająco.

– Nie widzę jej, sam rozumiesz.

– Komuś, kto nie zna Waszej Wysokości, mogła- by się ona skojarzyć z królikiem.

Dudo ukrył twarz w łapkach i zaniósł się płaczem.

– Kró-król-królik! – szlochał. – Jakież to pospoli- te, jak wyzute z tragizmu, jak... I to nawet nie cały królik – dodał z goryczą.

– Jak to się stało?

– Nie wiem, Całkowniku. Zasnąłem po prostu i obudziłem się z takim śmiesznym uczuciem, i... – Nagle wyprostował się i utkwił wzrok w Całkowni- ku. – To sprawka tej staruchy. Wspomnisz moje słowa, Całkowniku, to jej robota.

– Czemu miałaby zrobić coś takiego?

– Nie wiem. Byłem dla niej bardzo uprzejmy. Pa- miętasz, jak ci mówiłem: „Bądź dla niej miły, bo to chyba wróżka"? Od razu zgadłem, że jest przebra- na. Co teraz zrobimy, Całkowniku? Zwołajmy na- radę wojenną i przedyskutujmy to.

Zwołali naradę wojenną.

Królewicz Dudo przedłożył dwie propozycje.

Pierwsza była taka, żeby Całkownik zawrócił następnego dnia rano i zabił staruchę.

Druga była taka, żeby Całkownik zawrócił już tego samego popołudnia i zabił staruchę.

Całkownik zwrócił uwagę Królewicza na fakt, że skoro ta starucha zamieniła go w... w... (– No właśnie – przerwał Dudo), wydaje się prawdopodobnym, że jedynie ona może go odczarować, a w takim razie lepiej będzie tylko ją postraszyć.

– K t o ś musi zapłacić za to głową – rzekł z prostotą Dudo.

– A gdybyś tak – zaproponował Całkownik – został tutaj na dwa dni? Ja przez ten czas zobaczę się z czarownicą i zmuszę ją, aby powiedziała wszystko, co wie. Jestem pewien, że coś wie. Wówczas łatwiej zdecydujemy, co robić.

Dudo namyślał się przez chwilę.

– A dlaczego ty się w nic nie zamieniłeś? – zapytał.

– Nie mam pojęcia. Może dlatego, że jestem za mało ważny.

– Tak, na pewno dlatego – uspokoił się Dudo. Poczuł się troszkę raźniej. – Na pewno dlatego. – Pogładził łapką wąs. – Bali się mnie.

Wyglądał już na tak dalece pocieszonego, że Całkownik uznał, iż nadszedł idealny moment do odwrotu.

– Czy mam już jechać, Wasza Wysokość?

– Tak, możesz mnie zostawić.

- A czy wracając, znajdę Waszą Wysokość w tym samym miejscu?

- Może tak, a może nie, Całkowniku. Może tak, a może nie... Bali się mnie - powtórzył sam do siebie. - Oczywiście.

- A jeśli nie?

- Wtedy wracaj do Pałacu.

- Do zobaczenia, Wasza Wysokość.

Dudo pomachał mu łapką.

- Do widzenia, do widzenia.

Całkownik dosiadł konia i odjechał. Gdy tylko znalazł się poza zasięgiem słuchu Duda, wybuchnął śmiechem. Ataki śmiechu nachodziły go jeden za drugim. Ledwie Całkownik zmusił się do zachowania powagi, a już wspomnienie postaci Duda na nowo budziło chichot.

„Nie wytrzymałbym przy nim ani chwili dłużej - pomyślał Całkownik. - Zacząłbym się śmiać. Biedny Dudo! Ale wkrótce go oswobodzimy".

Tego samego wieczora dotarł do miejsca, w którym stała chatka, ale chatki nie było. Następnego ranka udał się z powrotem do lasu. Duda także nie było. Całkownik wrócił do Pałacu i zaczął rozmyślać.

Pozostawiony sam sobie, Dudo szybko podjął decyzję. Miał trzy możliwości do wyboru.

Mógł nie ruszać się z miejsca, póki nie zostanie przywrócony do dawnej postaci.

To wyjście natychmiast odrzucił. Kiedy ma się głowę królika, ogon lwa, a tułów jedwabistego jagniątka, nie można odkładać działania. Wzburzona krew wszystkich trzech antenatów domagała się natychmiastowego podjęcia akcji.

Mógł powrócić do Arabii.

Do Arabii, gdzie był powszechnie znany, szanowany i lubiany? Do Arabii, gdzie odbywał codzienne przejażdżki wśród poddanych swego ojca, aby dać im okazję do powiwatowania na jego cześć? Jakież by to było krępujące dla obu stron!

A zatem do Euralii!

Czemu nie? Księżniczka Hiacynta wezwała go przecież osobiście. Jakież oddanie okazałby przybywając do niej w tej właśnie chwili – i w tej postaci! Księżniczka miała kłopoty: czarownicy, wróżki i tak dalej. Już zdążył ucierpieć w jej służbie – tak przynajmniej powie Księżniczce, a kto wie, może to i prawda? Całkownik uznał, że Dudo wygląda śmiesznie. Ale kobiety nie mają zazwyczaj tak dobrze rozwiniętego poczucia humoru. Hiacynta jako dziecko hodowała być może króliki... albo jagnięta. Może uzna go za godnego pogłaskania... A lew... ogon, grzywa... może ten widok ją pokrzepi. Kobiety lubią czuć w ukochanym mężczyźnie coś gwałtownego, nieokiełznanego – a więc proszę bardzo.

Gdyby miał przy sobie Całkownika, postąpiłby inaczej. Całkownik i Dudo (w swoim obecnym stanie) nie mogliby pokazać się Euralii razem – kontrast byłby zbyt uderzający. Ale sam Dudo, jedyna ostoja Hiacynty! Księżniczka z pewnością doceni jego poświęcenie.

Nie można też było wykluczyć, jak to sobie właśnie przed chwilą powiedział, że to jakiś czarnoksiężnik euralijski rzucił na niego urok, aby mu przeszkodzić w niesieniu pomocy Hiacyncie. Jeśli tak, powinien wręcz śpieszyć do Euralii, aby się z tym czarnoksiężnikiem rozprawić. Chwilowo nie wiedział, jak się z nim rozprawi, ale miał nadzieję, że z czasem przyjdzie mu do głowy jakaś wyjątkowo przebiegła sztuczka.

A zatem do Euralii co sił w łapkach.

Dudo ruszył truchcikiem. Całkownik miał rację: niewątpliwie siał postrach.

Szarlota Ciasteczna zdumiewa krytyków

Hrabina Bellafryga siedzi w ogrodzie. Jest bardzo szczęśliwa. W prawej dłoni dzierży ogromne gęsie pióro wyrwane ulubionej niegdyś gęsi i pomalowane na czerwono. Ciemne sploty jej włosów, przerzucone przez jedno ramię, muskają kartkę, na której pisze, a spomiędzy karminowych ust wysuwa się czubek języka. Lewą dłonią Bellafryga bębni rytmicznie po stole: raz-dwa, raz-dwa, raz-dwa, raz-dwa. Hrabina tworzy.

Urocza białogłowa!

Pamiętacie scenę z Księżniczką Hiacyntą? „Odnoszę wrażenie, że przydałaby nam się pomoc z zewnątrz". Dwa tygodnie życia w niepewności, poprzedzające pojawienie się Królewicza Dudo. Jak zadziałał pierścień? Bellafryga wiedziała, że nawet gdyby żaden Dudo nie pchał jej się w paradę, jej własna pozycja w Pałacu została ostatnio znacznie osłabiona. Ona i Księżniczka będą teraz jawnymi przeciwniczkami; w najgorszym razie – tym magicznym pierścieniom nie można zanadto ufać! – Królewicz, wciąż potężny, a teraz w dodatku poważnie zirytowany, może wystąpić przeciwko niej.

Mimo to Hrabina pisze dalej.

A co takiego pisze? Bierze udział w konkursie związanym z Planem Rozwoju Literatury – ostatnim planem, jaki podpisała Księżniczka.

Urzeka mnie myśl, że Bellafryga potrafiła spokojnie pisać w chwili, gdy cała jej przyszłość wisiała na włosku. Krzywonóżko jednak zżyma się na nią. „Nawet w takiej chwili – pisze – miała nadzieję wyłudzić ostatnią sakiewkę złota od swego zrujnowanego kraju". Ja zaś kategorycznie zaprzeczam, jakoby coś podobnego robiła. Uczestniczyła w oficjalnym konkursie, pod pseudonimem Szarloty Ciastecznej. Fakt, że zgodnie z założeniami planu Hrabina Bellafryga była jedynym sędzią konkursu, nie powinien mieć dla nas większego znaczenia. Opinia Bellafrygi na temat wierszy Szarloty Ciastecznej była jak najbardzi bezstronna i wolna od wpływów natury materialnej. Jeśli Ciastecznej przypadłaby pierwsza nagroda, to dlatego, iż w bezstronnej opinii Bellafrygi jej poezja była tego warta.

I jeszcze jedno w odpowiedzi na kalumnie Krzywonóżki. Jako sędzina, Bellafryga decydowała o tematyce utworów konkursowych. Wiadomo, że tak Bellafryga, jak i Ciasteczna specjalizowały się w krótkich formach lirycznych, a jednak tematem konkursu miał być poemat epicki. Dokładniej mówiąc: „Wojna barodo-euralijska". Ilu współczesnych pisarzy stać by było na podobną bezstronność?

WOJNA BARODO-EURALIJSKA

Nagłówek ten wykaligrafowany został złotymi literami i już on sam mógłby zdobyć nagrodę w każdym konkursie na szczeblu gminnym.

Król Radowłos Pierwszy wyruszył do boju
Tak jak wielu przed nim w czasach niepokoju!
Pięciuset wojaków ciągnie za nim ławą –

Tu następuje duża ilość skreśleń, a po nich (nagłe olśnienie) ten oto subtelnie prosty wers:

Idą prawą, lewą, prawą, lewą, prawą.

Słyszy się wręcz maszerujących żołnierzy.

Radosne wiwaty szybują w przestworza –
Zza gór dobiegają, dochodzą znad morza!
Ktokolwiek był świadkiem tej podniosłej sceny,
Nie mógł się nie wzruszyć, wszyscy o tym wiemy.
Ktokolwiek był świadkiem tej podniosłej chwili,
Nie mógł się nie wzruszyć, wierzcie, moi mili.

Nie wiadomo dokładnie, czy ostatni dwuwiersz jest drugą wersją poprzedzającego go kupletu, czy też dodany został celowo, dla jego podkreślenia. Spoglądając przez lewe ramię Bellafrygi, dostrzegam, jak mi się zdaje, linię przekreślającą pierwszy z dwóch kupletów, ale ścielące się na stronicy bujne sploty nie pozwalają mi widzieć zbyt dokładnie.

Dokądże tak kroczą, bez lęku i śmiało?
Aby dać odpowiedź, czasu jest zbyt mało.
Mówiąc jak najkrócej, monarcha Barodii
Ogromnie naraził się Radowłosowi –
Mądremu, a także pełnemu godności –

Który ze zdumieniem lot Królewskiej Mości
Śledził, a z nim razem Księżniczka Hiacynta.

Doszła właśnie do tego miejsca. Wstała od stolika i jęła przechadzać się po swoim ogrodzie. Jest to najlepszy sposób na zebranie myśli. A jednak dziś sposób ten nie zdawał egzaminu: Bellafryga obeszła ogród trzy razy, nie znajdując rymu do Hiacynty. „Kwitnę" trudno byłoby dopasować. „Poza tym – upomniała sama siebie Bellafryga – nie wiem, co to dokładnie znaczy". Miała podobne zdanie o poezji jak ja: wiersz może być niezrozumiały dla czytelnika, ale autor powinien go rozumieć co do słowa.

Policzyła napisane dotychczas linijki: siedemnaście. Jeśli skończy w tym miejscu, będzie to jedyny w historii poemat epicki, który zatrzymał się na siedemnastym wersie.

Westchnęła, rozprostowała ramiona i spojrzała w niebo. Pogoda jej nie sprzyjała. Był to klasyczny ranek na rozrzucanie pieniędzy.

W dwadzieścia minut później siedziała na swym kremowobiałym rumaku. W dwadzieścia jeden minut później Henrietta Rogalska oberwała sakwą złota w samo oko, w chwili gdy składała ukłon Hrabinie. Był to jedyny ślad, jaki Henrietta Rogalska pozostawiła w historii Euralii, ale ślad ten utrzymywał się przez cały miesiąc.

Hiacynta nic o tym wszystkim nie wiedziała. Nie wiedziała nawet, że Bellafryga uczestniczy w konkursie poetyckim. Zapomniała o obietnicy popierania rozwoju literatury w Królestwie.

Czemuż to? Ach, moje panie, nie potraficie odgadnąć? Hiacynta rozmyślała o Królewiczu Dudo z Arabii. Jak wygląda? Czy włosy ma ciemne, czy jasne? Czy same mu się kręcą, czy też nie?

Czy i on zastanawia się, jak ona wygląda?

Treska postanowiła już, że Królewicz zakocha się w Jej Królewskiej Mości i ją poślubi.

– Myślę – powiedziała Treska – że będzie bardzo wysoki, będzie miał śliczne niebieskie oczy i złociste włosy.

Tak właśnie wyglądali królewicze we wszystkich książkach, które odkurzała; tak wyglądał każdy z siedmiu królewiczów (poszukujących właśnie przygody w odległych krajach), którym Król obiecał rękę Hiacynty: Królewicz Pałatka z Tregongu, Królewicz Ulryk, Książę Wyżoniziny i cała reszta. Biedny Królewicz Ulryk! W chwili triumfu został przywalony przez olbrzyma, którego właśnie zamierzał podminować, wskutek czego całkiem stracił apetyt na przygody. Doszło do tego, że w późniejszych latach przerażało go wszystko, co swym rozmiarem wyrastało ponad złotą rybkę, pędził więc żywot w odosobnieniu.

– A ja myślę, że ma czarne włosy – powiedziała Hiacynta. Jej własne włosy miały barwę żyta.

Biedny Królewicz Pałatka z Tregongu – właśnie sobie o nim przypomniałem... nie, to nie on, to Książę Wyżoniziny. Nieporozumienie z czarnoksiężnikiem sprawiło, że twarz Księcia została odwrócona do tyłu, przez co tak często słyszał „do widzenia" w chwili, gdy właśnie się u kogoś pojawiał, że zupełnie obrzydło mu życie towarzyskie, więc zamykał się we własnym Pałacu, gdzie popisy jego akrobatycznej zręczności w pożywianiu się zupą stały się niewyczerpanym źródłem zachwytów służby...

Ale Księżniczka i Treska myślały teraz o Królewiczu Dudo. Posłaniec już wrócił z Arabii, Jego Wysokości należało zatem oczekiwać następnego dnia.

– Mam nadzieję, że w Purpurowym Salonie będzie mu wygodnie – powiedziała Hiacynta. – Chociaż zastanawiam się, czy nie byłoby lepiej ulokować go w Pokoju Błękitnym.

W Pokoju Błękitnym ulokowały go dwa dni temu, ale Hiacynta doszła po namyśle do wniosku, że może jednak będzie mu lepiej w Purpurowym Salonie.

– Z Purpurowego Salonu jest najładniejszy widok – podpowiedziała usłużnie Treska.

– I jest w nim dużo słońca. Nie zapomnij, Tresko, wstawić tam trochę kwiatów. Zaniosłaś książki?

– Dwie – odparła Treska. – „Wyzwania dla książąt" i „Dzikie zwierzęta w domu".

– Mam nadzieję, że mu się spodobają. Pomyślmy teraz, co będziemy robić, gdy przyjedzie. Zjawi się po południu. Na pewno zechce coś zjeść.

– Można by urządzić piknik w puszczy – poddała Treska.

– Wątpię, aby ktokolwiek miał ochotę na piknik po długiej podróży.

– Ja uwielbiam pikniki.

– Wiem, moja miła, ale, widzisz, Królewicz Dudo jest znacznie starszy od ciebie i przeżył już zapewne tyle pikników, że ma ich dość. Myślę, że powinnam go przyjąć w Sali Tronowej, ale tam jest tak... tak...

– Duszno – podpowiedziała Treska.

– No właśnie. Cały czas czulibyśmy się skrępowani. Chyba przyjmę go tutaj: na powietrzu mam mniejszą tremę.

– Hrabina też tu będzie? – spytała Treska.

– Nie – odparła chłodno Księżniczka. – Przynajmniej – poprawiła się – nie zostanie zaproszona. Witam, Hrabino.

„To dokładnie w jej stylu – pomyślała Hiacynta – pojawić się właśnie w tym momencie".

Bellafryga złożyła przed Księżniczką głęboki dyg.

– Dzień dobry, Wasza Królewska Mość. Przychodzę w sprawie służbowej. Uważam za swój obowiązek poinformować Jcj Królcwską Mość o wynikach konkursu literackiego. – Mówiła tonem przesadnie łagodnym, jakby wybaczyła Hiacyncie krzywdę, którą ta jej wyrządziła.

– Oczywiście, Hrabino. Wysłucham z przyjemnością.

Hrabina rozwinęła rulon pergaminu.

– Nagrodę przyznano... – odczytała, zbliżając pergamin do oczu – Szarlocie Ciastecznej.

– Ach tak. Kto to taki?

– Wielce szacowna niewiasta, Wasza Królewska Mość. Jeśli to właśnie ta, o której myślę, to jest to wielce szacowna niewiasta, której te pieniądze bardzo się przydadzą. Jej wiersz zawiera poczucie hierarchii wartości połączone z rozmachem i... dystansem, jakie rzadko spotyka się w poezji.

Forma zyskuje u niej doskonałość dzięki... temu, no... temperamentowi, śmiałości obrazowania i – że tak powiem – zdecydowanemu nakreśleniu konturów. Jednym słowem...

– Jednym słowem – przerwała Księżniczka – pani się to podoba.

– Wasza Królewska Mość – to arcydzieło! Ale spodziewam się, że Wasza Królewska Mość zechce osobiście wysłuchać poematu. Ma on zaledwie tysiąc dwieście linijek. Zadeklamuję go Waszej Królewskiej Mości, jeśli można.

Uniosła manuskrypt na wyciągnięcie ręki, prawą dłonią podkreśliła pozę i rozpoczęła recytację głosem tak przejmującym, na jaki tylko umiała się zdobyć:

Król Radowłos Pierwszy wyruszył do boju
Tak jak wielu przed nim...

– Może innym razem, Hrabino. W tej chwili jestem zajęta. Wiesz już, jak sądzę, że jutro po południu przybywa do nas Królewicz Dudo, a zatem...

Bellafryga nie przestała poruszać ustami, a jej prawa dłoń gestykulowała w górę i w dół.

– *Radosne wiwaty szybują w przestworza* – mamrotała pod nosem, a dłoń jej powędrowała ku niebu. – *Zza gór dobiegają, dochodzą znad morza* – wskazywała wspomniane kierunki. – *Ktokolwiek był świadkiem...*

– Najpierw przyjmę go prywatnie tu, na górze, a potem...

– *Nie mógł się nie wzruszyć, wierzcie, moi mili* – szepnęła Bellafryga, kładąc dłoń na piersi na znak, że dla niej przynajmniej było to wzruszenie ogromne. – *Dokądże tak kroczą...* Przepraszam Waszą Królewską Mość. Ten cudowny poemat całkiem mnie oszołomił. Błagam Waszą Królewską Mość, aby go przeczytała.

Księżniczka odsunęła manuskrypt.

– Nie jestem głucha na sprawy literatury, Hrabino, i z całą pewnością przeczytam ten wiersz przy najbliższej sposobności. Tymczasem mogę, jak sądzę, zaufać ci, że nagroda zostanie przyznana prawowitemu zwycięzcy. Mówiłam właśnie, że jutro przybywa do nas Królewicz Dudo.

Bellafryga okazała niewinne zaskoczenie.

– Królewicz Dudo... Dudo... Czy to ten Królewicz Dudo z Kminkowszczyzny, Wasza Królewska Mość? Wysoki z trzema nogami?...

– Królewicz Dudo z Arabii – poprawiła ją surowo Hiacynta. – Zdaje się, że już pani o nim wspominałam. Zatrzyma się tutaj na kilka miesięcy.

– Jak to będzie cudownie, Wasza Królewska Mość, znowu zobaczyć mężczyznę! Już zaczynało nam się nudzić! Trzaba nam mężczyzny, który by nas trochę rozruszał, prawda, Tresko? Natychmiast pójdę wydać rozkazy co do przygotowania pokoju, Wasza Królewska Mość. Wasza Królewska Mość życzy sobie, naturalnie, aby zamieszkał w Salonie Purpurowym?

To przesądziło sprawę.

– Zamieszka w Pokoju Błękitnym – odparła z determinacją Hiacynta.

– Tak jest, Wasza Królewska Mość. Pomyśl, Tresko, znowu mężczyzna! Zaraz się tym zajmę, jeśli Wasza Królewska Mość pozwoli mi już odejść.

Hiacynta nie bardzo wiedziała, co ma sądzić o przesadnej układności Bellafrygi, skinęła więc tylko głową, i Hrabina oddaliła się.

Nenufary chyba pasują do uszu

Treska po raz ostatni wygładziła obrus na stole i przyjrzała mu się z ukosa.

– Czy wszystko już podano? – zapytała.

– A sardynki? – zainteresowała się Truśka z typową dla siebie pospolitością. (Nie mam pojęcia, co ona robi w tej scenie, ale Krzywonóżko obstaje przy jej obecności).

– Nie sądzę, aby królewicze lubili sardynki – odparła Treska.

– Gdybym to ja miała za sobą długą podróż, marzyłabym o sardynkach. Z Arabii do nas jest bardzo daleko, prawda?

– Potwornie daleko. Biedaczek, wędruje już prawie tydzień. Może – dodała z nadzieją – zjadł coś gdzieś po drodze.

– Może jakieś kanapki – powiedziała Truśka, myśląc sobie, że dobrze byłoby coś przekąsić.

– Jak myślisz, Truśko, jak on wygląda?

Truśka długo się zastanawiała.

– Jak Król – odparła. – Tylko że inaczej – dodała po chwili.

Nadeszła Księżniczka, już po raz piąty tego popołudnia, wielce podekscytowana.

– Jak tam? – zapytała. – Wszystko gotowe?

– Tak, Wasza Królewska Mość. Tylko Truśka i ja nie mamy pewności co do sardynek.

Księżniczka roześmiała się z ulgą.

– Myślę, że wystarczy mu to, co już jest. Stół wygląda bardzo ładnie.

Odwróciła się i ujrzała za sobą ostatnią osobę, którą w tej chwili miała ochotę oglądać.

Ostatnia-osoba-którą-w-tej-chwili-miała-ochotę--oglądać złożyła efektowny dyg.

– Wasza Królewska Mość wybaczy – rzekła wylewnie – ale zdawało mi się, że zostawiłam tu bezcenny rękopis poematu Szarloty Ciastecznej. Nie... najwyraźniej się pomyliłam, Wasza Królewska

Mość. Odchodzę, Wasza Królewska Mość, gdyż wiem, że Wasza Królewska Mość zechce przyjąć Jego Wysokość w cztery oczy.

Słuchając takiej mowy, człowiek zaczyna doceniać zwyczaj Truśki, która do wszystkich bez wyjątku mówiła „psze pani".

– Przeciwnie, Hrabino – odparła lodowatym tonem Hiacynta. – Życzymy sobie, abyś pozostała tutaj i uczestniczyła w powitaniu Jego Wysokości. Sądzę, że trochę się spóźnia.

Bellafryga okazała swoją bezmierną rozpacz.

– Och, mam nadzieję, że nic mu się nie stało po drodze! zawołała. – Miewam ostatnio niejasne przeczucia, że coś się stanie.

– Co takiego mogłoby mu się zdarzyć? – zapytała Hiacynta, niezbyt przejęta słowami Hrabiny.

– Ach, Wasza Królewska Mość, to tylko moje niemądre przeczucia. Na pewno nic nie znaczą.

Na dole rozległy się kroki, dał się słyszeć męski głos. Księżniczka i Hrabina, obie nad wyraz zdenerwowane, choć z zupełnie odmiennych powodów, przybrały stosowne do ceremonii powitania uśmiechy; Treska i Truśka stanęły przy stole w odpowiednio uniżonych pozach. Nadworny Malarz mógłby z tego zrobić piękny obraz.

– Jego Wysokość Królewicz Dudo z Arabii – obwieściła heroldka.

„Chwila wielkich emocji – podsumowała w duchu Bellafryga. – Czyżby pierścień nie zadziałał?"

Dudo przykicał do środka.

„A jednak!" – ucieszyła się Bellafryga.

Księżniczka Hiacynta pisnęła i zachwiała się na nogach; Treska, która znała podobne sytuacje z odkurzanych w bibliotece książek, a także Truśka, która wszystkie zwierzęta darzyła spontaniczną miłością, wytrwały na posterunkach.

– Co to ma znaczyć? – wykrztusiła Hiacynta.

Całe szczęście, że na miejscu znalazła się Bellafryga.

– Niech mi będzie wolno – rzekła, występując do przodu – przedstawić Waszej Królewskiej Mości Jego Wysokość Królewicza Dudo z Arabii.

– Królewicz Dudo? – powtórzyła Hiacynta, nie chcąc wierzyć własnym uszom.

– Obawiam się, że tak – odparł ponuro Dudo. Przez ostatnie dwa czy trzy dni bardzo wiele rozmyślał o tym spotkaniu, ale nagle uświadomił sobie, że nie docenił wszystkich związanych z nim trudności.

Hiacynta przypomniała sobie, że jest Księżniczką, a do tego kobietą.

– Miło mi powitać Waszą Wysokość w Euralii – powiedziała. – Proszę siadać... to jest... siadać. (Czy króliki siadają? I czy on w ogóle jest królikiem?)

Dudo zdecydował się usiąść.

– Dziękuję. Nie masz, Księżniczko, pojęcia, jak trudno stać na czterech łapach i rozmawiać z kimś, kto jest znacznie wyżej. Taka pozycja okropnie nadweręża kark.

Zapadła niezręczna cisza. Nikt nie wiedział, co powiedzieć.

Z wyjątkiem Bellafrygi.

Obdarzyła Duda najbardziej czarującym ze swych uśmiechów.

– Czy miał Książę miłą podróż? – zapytała słodko.

– Nie – odparł zwięźle Dudo.

– Och, proszę nam opowiedzieć, co Księcia spotkało! – zawołała Hiacynta. – Jakiś paskudny czarnoksiężnik? Tak mi strasznie przykro.

Kiedy człowiek jest nie w formie, pewne pytania łatwo wytrącają go z równowagi.

– Chyba widać, co mnie spotkało – burknął Dudo. – Nie wiem, jak to się stało, byłem już od dwóch dni w drodze z Arabii, kiedy...

– Przepraszam Waszą Wysokość – przerwała Treska. – Czy to przypadkiem nie ogon Waszej Wy-

sokości tutaj, w solniczce? – Wydobyła ogon, otrze-
pała go i wręczyła Królewiczowi.

– O, dziękuję uprzejmie... od dwóch dni w drodze z Arabii, kiedy obudziłem się po południu
właśnie w tym stanie. Proszę sobie wyobrazić moją irytację. Pierwszym impulsem było, naturalnie,
wracać do domu i schować się, ale wytłumaczyłem
sobie, Księżniczko, że przecież mnie potrzebujesz.

Na te słowa, wypowiedziane z wdzięcznym wa-
chlowaniem uszu i muskaniem prawego wąsika,
Księżniczka nie zdołała oprzeć się wzruszeniu. Zarazem jednak dręczyła ją myśl, co ma począć z Dudem, skoro ten już tu jest.

– A... kim Książę właściwie jest? – wtrąciła
uprzejmie Bellafryga, znająca upodobanie mężczyzn do mówienia o sobie.

Dudo kątem oka dostrzegł zastawiony stół i ob-
serwował go teraz z mieszanymi uczuciami nadziei
i rezygnacji.

– Jestem bardzo, bardzo głodny – oświadczył.

Księżniczka, której myśli błądziły bardzo daleko, nagle się ocknęła.

– Zapominam się – powiedziała z uśmiechem,
który zyskałby jej przebaczenie największego nawet głodomora. – Usiądźmy i posilmy się trochę.

Niech mi będzie wolno przedstawić Waszej Wysokości Hrabinę Bellafrygę.

„Mam mu podać rękę czy pogłaskać go po głowie?" – Mistrzyni dworskiej etykiety po raz pierwszy nie wiedziała, jak się ma zachować.

Dudo położył łapkę na sercu i nisko się skłonił.

– Bardzo mi miło – rzekł z galanterią, a nawet odrobina galanterii pochodząca ze skrzyżowania lwa, królika i jedwabistego jagniątka daje niezwykle przyjemny efekt.

Skupili się wokół stołu.

– Lemoniady, Wasza Wysokość? – zaproponowała Hiacynta opiekująca się dzbanem.

– Nie wiem, czy powinienem.

– To bardzo pyszna lemoniada – zachęcała go Treska.

– Nie wątpię, moja droga. Ale powstaje pytanie: czy ja lubię lemoniadę?

– Nie można nie wiedzieć, czy się lubi lemoniadę, czy nie.

– Nie męcz Królewicza, Tresko – wtrąciła się Hiacynta. – Może kanapkę z dziczyzną, drogi Królewiczu?

– Powstaje pytanie: czy lubię kanapki z dziczyzną?

– Ja tak – oznajmiła Truśka wszystkim zainteresowanym.

– Tak naprawdę – wyjaśnił Dudo – to ja nie mam pojęcia, co lubię.

Te słowa zadziwiły wszystkich, a zwłaszcza Truśkę. Bellafryga, która bawiła się tak dobrze, że wystarczyło jej samo słuchanie, nie powiedziała ani słowa. A zatem to Księżniczka skłoniła Duda do dalszych wyjaśnień, pytając go, co ma na myśli. Dudo miał wielką ochotę porozwodzić się nad tym tematem.

– A więc – zaczął, rozpierając się wygodnie, wskutek czego Treska musiała znów wyławiać jego ogon, tym razem z kremu – kim ja właściwie jestem?

Nikt nie ośmielił się zaryzykować odpowiedzi.

– Czy jestem królikiem? Jeśli tak, proszę mi podać galaretkę z porzeczek czy co tam innego, co lubią króliki.

Gospodyni z niepokojem zlustrowała stół.

– Czy jestem lwem? – ciągnął Dudo, rozwijając temat. – Jeśli tak, podajcie mi Treskę.

– Och, proszę nie być lwem – poprosiła Treska, głaszcząc grzywę Królewicza.

– Ale czy nie ma Książę na nic ochoty? – zapytała Hiacynta.

– Dręczy mnie przemożne uczucie braku: bardzo c z e g o ś pragnę, tylko sam nie wiem, czego.

– Mam nadzieję, że nie chodzi o sardynki – szepnęła Treska Truśce.

– A co Książę jadał po drodze? – dopytywała się Księżniczka.

– Och, głównie trawę i takie tam. Uznałem, że jedzenie trawy niczym mi nie grozi.

– I... nie zagroziło? – zapytała Bellafryga z wielkim zainteresowaniem.

Dudo chrząknął i nie powiedział nic.

– Wiem, że to głupie z mojej strony – powiedziała Hiacynta – ale nadal nie bardzo rozumiem. Sądziłam, że skoro Książę jest... tym...

– No właśnie – dopomógł jej Dudo.

– ...to powinien Książę instynktownie wyczuć, co ten... ten...

– Zgadza się – powiedział Dudo.

– Lubi jeść.

– Ach, spodziewałem się takiej opinii. I ja pomyślałem podobnie, kiedy to... kiedy poczułem się nie najlepiej. Ale przemyślałem już wszystko i nic się tu nie zgadza.

– To d o p r a w d y zajmujące – powiedziała Bellafryga, rozsiadając się wygodnie. – Proszę mówić dalej.

– A więc kiedy... – chrząknął i rozejrzał się niepewnie po obecnych. – To naprawdę dosyć delikatna sprawa.

– Nie szkodzi – mruknęła Hiacynta.

– No więc tak: kiedy czarnoksiężnik chce człowiekowi zrobić na złość, zamienia go zazwyczaj w jakieś zwierzę.

Bellafryga spłonęła rumieńcem po raz pierwszy od ukończenia siedemnastego roku życia.

– Taki to już ich dowcipny obyczaj – przyznała.

– Gdyby się było zwierzęciem od początku, nie stanowiłoby to powodu do irytacji. Słoń nie złości się, że jest słoniem; stara się po prostu być jak najlepszym słoniem i byłby nieszczęśliwy, gdyby nie umiał posługiwać się trąbą. Irytujące jest dopiero wyglądać jak słoń, mieć wielce skomplikowane... wnętrze słonia, ale w istocie nadal pozostawać człowiekiem.

Wszyscy byli szczerze zainteresowani wywodem Duda. Truśka spodziewała się na koniec wyjaśnienia, jakim to zwierzęciem jest w istocie Królewicz, ale tu musiało ją spotkać rozczarowanie. Aktualna sytuacja Duda miała więc, mimo wszystko, swoje zalety: jako mężczyzny nigdy jeszcze nie słuchano go tak pilnie.

– Przyjmijmy na chwilę, że jestem lwem. Mam tę... no... delikatną konstrukcję lwa, lecz wzniosłe myśli i ambicje królewicza. A zatem... jedna część mnie domaga się surowej wołowiny, ale pozostaje mimo wszystko i druga, dążąca ku wyższym celom, część mojej osoby, która... – tu uniósł łapkę w okolice serca – no... sami państwo wiecie, jak byście się czuli w takim położeniu.

Księżniczka zadrżała.

– Rozumiem doskonale – zapewniła go.

Bellafryga uznała wywód za interesujący, aczkolwiek nieco naciągany.

– Teraz widzicie, o co mi chodzi – ciągnął Dudo. – Niemowlę pozostawione samo sobie nie wie, co może mu zaszkodzić. Niemowlę pozostawione samo sobie zje wszystko. Człowiek zamieniony nagle w zwierzę jest dokładnie w sytuacji tego niemowlęcia.

– Ciekawy punkt widzenia – powiedziała Hiacynta. – Nie myślałam o tym w taki sposób.

– A ja m u s i a ł e m! Ale kontynuujmy nasze rozważania. – Dudo czuł się teraz znakomicie. Tak uważnego audytorium nie miał od czasu, gdy z okazji dojścia do pełnoletniości wygłosił mowę o żukach wobec najpierwszych obywateli Arabii. – Raz jeszcze przyjmijmy, że jestem lwem. Z lektury i obserwacji wiem, że surowe mięso najlepiej odpowiada lwiej... konstytucji i, jakikolwiek mogłoby to budzić sprzeciw, byłby głupcem, nie szukając takiego właśnie posiłku. Jeśli jednak nie ma się pewności co do tego, jakim właściwie jest się zwierzęciem, problem odżywiania staje się niezwykle złożony. Powstaje konieczność próbowania najrozmaitszego paskudztwa, aby się przekonać, co można zjeść bez obawy. – Wzrok Duda, w którym przeglądały się najdonioślejsze wspomnienia, podążył w dal. – Eksperymentowałem – rzekł w końcu – przez ostatnie trzy dni.

Wszyscy spojrzeli na niego ze współczuciem. Z wyjątkiem Bellafrygi. Ona naturalnie nie mogła.

– I co się najlepiej sprawdziło? – zapytała pogodnie.

– Aż trudno uwierzyć – odparł Dudo, rozchmurzając się nieco. – Siekane banany. Czy ktokolwiek z państwa hodował kiedyś zwierzę, żywiące się wyłącznie siekanymi bananami?

– Nigdy – uśmiechnęła się Księżniczka.

– Bo ja jestem chyba właśnie tym zwierzęciem – westchnął Dudo i dodał: – Kilkoma zwierzętami nie jestem z całą pewnością. – Przez krótką chwilę zdawał się rozpamiętywać niemiłe zdarzenia, po czym podjął temat: - Nie przypuszczam, aby ktokolwiek z obecnych wiedział, jak bardzo kłują osty w drodze do żołądka. Czy... mógłbym spróbować kanapki z nenufarem? Może nie bardzo pasuje do ogona, ale do uszu chyba tak. - Odgryzł spory kęs i z pyszczkiem pełnym liści dodał: - Mam nadzieję, Księżniczko, że nie nudzę cię zbytnio moimi bagatelnymi kłopotami?

Hiacynta impulsywnie uścisnęła mu łapkę.

- Mój drogi Królewiczu Dudo, marzę tylko o tym, aby ci pomóc. Musimy znaleźć sposób uwolnienia cię od tych okropnych czarów. W bibliotece jest tyle mądrych książek, a poza tym mój ojciec ułożył zaklęcie, które... och, jestem przekonana, że już wkrótce wszystko będzie w porządku.

Dudo sięgnął po następną kanapkę.

- Bardzo to miłe słowa, Księżniczko. Rozumiesz chyba, jak uciążliwa jest taka niedyspozycja dla mężczyzny takiego usposobienia. - Skinął na Treskę. - Jak to się robi? - zapytał półgłosem.

Bellafryga, krygując się wdzięcznie, wstała od stołu.

- Muszę dopilnować - oznajmiła - aby klatka... Och, co ja plotę!... Aby komnata Jego Wysokości została należycie przygotowana. Czy Wasza Królewska Mość pozwoli mi odejść?

Jej Królewska Mość pozwoliła.

– A i ty, Tresko, biegnij zobaczyć, czy nie możesz w czymś pomóc. Kanapki z nenufarem mogą poczekać – dodała, widząc wahanie Treski.

Dudo popatrzył z wdzięcznością na Jej Królewską Mość i sięgnął po następną kanapkę.

Postanawiamy napisać list
do ojca Duda

– A teraz, droga Księżniczko – rzekł Dudo, skoro tylko zostali sami – powiedz mi, jak mógłbym
ci pomóc.

– Och, Królewiczu Dudo – odparła z przejęciem
Hiacynta. – To doprawdy miłe z twojej strony, że
przybyłeś. Mam wrażenie, że ten... ten drobny incydent nastąpił z mojej winy, ponieważ cię tu zaprosiłam.

– Bynajmniej, moja droga. Taki drobny incydent
mógłby spotkać każdego, gdziekolwiek. Jeśli mimo
wszystko mógłbym być ci pomocny, proszę, podaj
mi szczegóły sprawy. Choć moje siły fizyczne są

chwilowo ograniczone, pochlebiam sobie, że zdolności mego umysłu nie ucierpiały ani na jotę. – Odgryzł kolejny kęs kanapki i z powagą skinął łebkiem ku Hiacyncie.

– Przejdźmy tutaj – zaproponowała Księżniczka.

Podeszła do starej kamiennej ławy w ścianie i przysiadła na niej, robiąc obok miejsce dla Duda, dreptającego jej śladem, z talerzykiem. Istnieje, jak wiadomo, sposób na okazanie młodzieńcowi, że może usiąść obok damy na wyściełanej kanapie, aby jej opowiedzieć, co też ostatnio porabiał w mieście; jest także specjalny sposób klepania sofy na znak, że Pimpuś może tam wskoczyć-i-położyć-się--spokojnie-dobry-piesek. Hiacyncie udało się niezwykle taktownie osiągnąć coś pośredniego i Dudo z wdziękiem wskoczył na ławę.

– Teraz możemy rozmawiać – powiedziała Hiacynta. – Czyś zwrócił uwagę na damę, którą ci przedstawiłam, Hrabinę Bellafrygę?

Dudo przytaknął.

– Co o niej sądzisz?

Dudo był już na tyle dorosły, że wiedział, jak się odpowiada na podobne pytania.

– Niespecjalnie się jej przyglądałem – oświadczył. Po czym dodał, z głębokim ukłonem: – To naturalne, że kiedy Wasza Królewska Mość... och, najmocniej przepraszam, zdaje się, że zanadto wachluję uszami.

– Nie szkodzi – powiedziała Hiacynta, poprawiając fryzurę. – To właśnie z powodu tej kobiety posłałam po ciebie.

– Ależ nie mogę poślubić jej w tym stanie, Wasza Królewska Mość!

Hiacynta obróciła ku niemu zdumioną twarz. Dudo natychmiast zrozumiał, że strzelił gafę. Aby pokryć zażenowanie, wziął kolejną kanapkę i zjadł ją bardzo szybko.

– Chcę, żebyś mi pomógł z nią walczyć – rzekła Hiacynta z rezerwą. – Ona spiskuje przeciwko mnie.

– Ach, Wasza Królewska Mość, nareszcie rozumiem – powiedział Dudo i pokiwał głową, jakby chciał rzec: „Tym razem trafiłaś na właściwego człowicka".

– Nie ufam jej – wyjaśniła z naciskiem Hiacynta.

– No cóż, Księżniczko, nie dziwię się. Powiem ci coś o tej kobiecie.

– Co takiego?

– Jak zareagowano na moje wejście? Ty, Księżniczko, byłaś, nie bez powodu, nieco zaniepokojona; obie dziewczynki okazały ciekawość i zdziwienie. A Hrabina Bellafryga? Co ona zrobiła?

– Co takiego?

– Nic – odparł z naciskiem. – Nie zdziwiła się i nie przestraszyła.

– Tak, teraz i mnie się tak wydaje.

– A przecież – ciągnął Dudo tonem na poły tragicznym, a na poły dumnym – przeciętny Królewicz wygląda trochę inaczej. Czemu więc Hrabina nie zdziwiła się na mój widok?

Hiacynta była przerażona.

– Czy wiedziała, że po mnie posyłasz? – zapytał Dudo.

– Tak.

– Ponieważ wykryłaś coś, co ją obciąża?

– Tak.

– Zatem możesz być pewna, że to jej sprawka. Ależ ta kobieta musi mieć głowę!

– Ale jak mogła to zrobić? – zawołała Hiacynta. – Zgadzam się, że jest to rzecz, którą na pewno by zrobiła, gdyby tylko mogła.

Dudo nie odpowiedział. Był bardzo zły na Bellafrygę, toteż wstał z miejsca i zaczął dreptać w tę i z powrotem, aby ukryć swoje wzburzenie przed Księżniczką.

– Och, na pewno jest w zmowie z czarnoksiężnikiem albo kimś podobnym – odparł niecierpliwie, drepcząc wzdłuż ławki.

Nagle błysnęła mu myśl. Zatrzymał się przed Księżniczką.

– Gdybym tylko miał pewność, że jestem lwem!

Spróbował ryknąć, szybko wyjaśnił, że to było tylko na próbę, po czym ryknął jeszcze raz.

– Nie, mimo wszystko nie sądzę, abym był lwem – przyznał ze smutkiem.

– Musimy ustalić plan – powiedziała Hiacynta.

– Musimy ustalić plan – zawtórował Dudo, pokornie zajmując miejsce u jej boku. Nie mógł już dłużej oszukiwać się, że jest lwem. Prawda ta bardzo go przygnębiła.

– Byłam chyba zbyt tolerancyjna – powiedziała Hiacynta. – Odkąd mężczyźni poszli na wojnę, Hrabina trzęsie całym krajem. Wydaje mi się, że spiskuje przeciwko mnie; wiem, że mnie okrada. Zaprosiłam cię tutaj, abyś mi pomógł ją zdemaskować.

Dudo solennie pokiwał głową.

– Musimy ją obserwować – oświadczył.

– Musimy ją obserwować – zgodziła się Hiacynta. – To może trwać całe miesiące...

– Powiedziałaś: miesiące? – zapytał Dudo, zwracając się ku niej z ożywieniem.

– Tak, a bo co?

– No cóż, to... – Chrząknął z dezaprobatą. – Wiem, że to głupio tak myśleć, ale... no nic, ufajmy, że wszystko pójdzie jak najlepiej.

– Ale o co właściwie chodzi?

Dudo z trudem krył zażenowanie. Kręcił się niespokojnie. Tylną łapką kreślił na posadzce małe kółeczka i rzucał Księżniczce ukradkiem wstydliwe spojrzenia.

– No cóż, mam... – zachichotał nerwowo – mam niejasne przeczucie, że mogę należeć do tych zwierząt – znowu zaśmiał się znacząco – które zapadają w sen zimowy. Byłoby to bardzo nie na miejscu, gdybym... – tylna łapka pracowała ze zdwojoną energią – gdybym musiał się zająć kopaniem norki w ziemi właśnie w chwili, kiedy ryba połknie haczyk.

– Och, to niemożliwe! – żachnęła się zrozpaczona Hiacynta.

Przez chwilę oboje milczeli, rozważając tragiczne możliwości. Ogon Duda opadł na kolana Hiacynty, ona zaś machinalnie zaczęła się nim bawić.

– A poza tym – rzekła z nadzieją – mamy dopiero lipiec.

– Ta... ak – przyznał Dudo. – Myślę, że zacznę... tego... sposobić się koło listopada. Musimy przedtem coś wyjaśnić. Przede wszystkim powinniśmy... Och! – podskoczył skonsternowany. – Przyszła mi właśnie do głowy straszliwa myśl. Czy nie powinienem przypadkiem zacząć gromadzić zapasu orzechów czy czego tam?

– Zapewne...

– Muszę się do tego wziąć jak najszybciej – postanowił Dudo, okazując wielką zapobiegliwość. – Nie mam, widzisz, zbyt wielkiej wprawy. Wspinanie się na drzewa po orzechy – ciągnął w rozmarzeniu – cóż to za życie dla...

– Och, przestań – prosiła Hiacynta. – Tak robią chyba tylko wiewiórki?

– Tak, tak. A więc gdyby się miało okazać, że jestem wiewiórką, powinienem... Czy mogę prosić o swój ogon, na chwileczkę?

– O, przepraszam – stropiła się Hiacynta, bardzo zawstydzona swobodą, na jaką sobie pozwoliła, i podała mu ogon.

– Nie ma za co – odpowiedział Dudo.

Pewnym gestem ujął ogon w prawą łapkę.

– Zaraz się przekonamy – powiedział. – Uwaga.

Przycupnął na tylnych łapkach, uniósł ogon nad głowę i, puściwszy go znienacka, zaczął skubać kanapkę trzymaną w dwóch przednich łapkach.

Artysta malarz byłby zachwycony tą pozą.

Ale nie modelem. Ogon natychmiast pacnął o ziemię.

– Aha! – rzekł triumfalnie Dudo. – Mamy więc dowód. Nie jestem wiewiórką.

– Jakże się cieszę – powiedziała Hiacynta, w pełni przekonana demonstracją Duda, która musiałaby przekonać każdego bez wyjątku.

– A więc sprawę spiżarni mamy z głowy. Teraz możemy przystąpić do opracowania planu. Przede wszystkim powinniśmy... – urwał gwałtownie i Hiacynta stwierdziła, że przygląda się swemu ogonowi.

– Tak? – podchwyciła zachęcająco.

Dudo trzymał ogon przed sobą. Pośrodku ogona widniał spory węzeł.

– O czym to ja miałem pamiętać? – zamyślił się Dudo, pocierając czoło.

Biedna Hiacynta!

– Och, drogi Królewiczu Dudo, najmocniej przepraszam. Zrobiłam to całkiem bezmyślnie.

Dudo z właściwą sobie galanterią zachował się, jak przystało na dżentelmena.

– To węzeł małżeński – rzekł z wdzięcznym skło... nie, zatrzymał się w porę. Doprawdy, te jego uszy uniemożliwiały wszelką uprzejmość.

– Ach, Dudo – westchnęła Hiacynta. – Gdybym tylko potrafiła pomóc ci wrócić do dawnej postaci!

– Tak, gdyby... – zgodził się Dudo, odzyskując zmysł praktyczny. – Ale jak to zrobić? Jeszcze tylko jedna kanapeczka z nenufarem – dodał przepraszająco. – Nenufary tak świetnie pasują do uszu.

– Zagrożę Hrabinie – oznajmiła wojowniczo Hiacynta. – Powiem jej, że jeśli nie każe cię natychmiast odczarować, wtrącę ją do więzienia.

Dudo nie słuchał. Zatopił się we własnych rozmyślaniach.

– Siekane banany i kanapki z nenufarem – mamrotał pod wąsem. – Zdaje się, że jestem jedynym okazem tego gatunku na całym świecie.

– Oczywiście – ciągnęła Hiacynta, mówiąc właściwie sama do siebie – Bellafryga może przekabacić ludzi na swoją stronę; tych, których przekupiła. Jeśli to zrobi...

– Dobrze już, dobrze – przerwał jej nonszalancko Dudo. – Hrabinę pozostaw mnie. W waszych nenufarach jest coś, co pcha mnie do straszliwych czynów. Czuję się jak nowo narodzony... wszystko jedno, kim jestem.

Z tego oświadczenia wnosimy, acz niechętnie, że Dudo ucztował zbyt swobodnie.

– Naturalnie – ciągnęła Hiacynta – mogłabym napisać do ojca, żeby odesłał mi część swoich ludzi, ale tego wolałabym uniknąć. Nie chcę, aby myślał, że go zawiodłam.

– To zadziwiające, jak bardzo zasmakowałem w tych potrawach – powiedział Dudo, rozsiadając się wygodniej na ławie. – Może jednak jestem królikiem? Ciekawe, jak bym wyglądał w drucianej klatce. – Ugryzł kanapkę i ciągnął: – Ciekawe, jak bym się zachował na widok fretki? Nie masz przypadkiem fretki, Księżniczko?

– Słucham cię, Królewiczu? Myślałam, zdaje się, o czymś innym. Co mówiłeś?

– Nic takiego. Myśli się człowiekowi plączą.

Wyciągnął łapkę w stronę talerza i stwierdził, że nic już na nim nie pozostało. Rozsiadł się wobec tego jeszcze wygodniej i wydawało się, że zaraz zmorzy go sen, gdy wtem ponownie zauważył węzeł na ogonie. Uniósł ogon i zaczął go leniwie rozplątywać.

– Chciałbym umieć strzelać z ogona – mamrotał – ale mój jest chyba z tych, które nie strzelają. –

Z niezwykłą delikatnością zbadał jego koniec. – Ciekawe, czy mam gdzieś żądło. – Przymknąwszy oczy, wyszeptał jeszcze: – Ukąsić Hrabinę w szyję, ukąsić ją mnóstwo razy, mnóstwo kąśliwych ukąszeń – po czym spokojnie zasnął.

Był to doprawdy żałosny popis. Krzywonóżko próbuje owijać rzecz w bawełnę: opowiada o wielkim żarze słońca i szkodliwym działaniu, jakie nawet jedna czy dwie kanapki z nenufarem potrafią wywrzeć na pusty... na człowieka, który przez kilka dni nic nie jadł. Wszystko po to, aby prześliznąć się po faktach. Sami widzieliśmy najlepiej, jak podziałały na organizm Duda (jakkolwiek by go nazwać) kanapki z nenufarem. Krzywonóżko zapomniał jednak podkreślić fakt, że chodziło o dwadzieścia jeden czy dwadzieścia dwie takie kanapki. Trudno zaprzeczyć, że Dudo się nie popisał. Gdybym był wówczas na miejscu, niewątpliwie powiadomiłbym o całym zdarzeniu ojca Duda.

Hiacynta przyglądała mu się z mieszanymi uczuciami. Jej pierwszym odruchem było współczucie. Biedaczek, myślała, nie miał ostatnio łatwego życia. Ale dłuższe obserwowanie krzyżówki lwa z królikiem i jedwabistym jagniątkiem wystawia współczucie na ciężką próbę, zwłaszcza jeśli część królicza ma otwarty pyszczek i cicho pochrapuje.

Co z nim począć? Teraz miała na głowie ich dwoje: Hrabinę i Królewicza. Sytuacja Bellafrygi była nawet lepsza niż poprzednio: będzie mogła używać Duda do szantażowania Księżniczki. „Proszę mi dać to i owo, bo inaczej nigdy nie odczaruję Jego Wysokości". I co wtedy zrobi nieszczęsna dziewczyna?

Cóż, w przyszłości trzeba będzie podjąć jakąś decyzję. Na razie jednak i bez tego było dość kłopotów. Problem numer jeden stanowiła, oczywiście, sypialnia królewicza. Czy Pokój Błękitny zadowoli go w obecnej sytuacji? Hiacynta uświadomiła sobie nagle, jak wiele taktu wymaga być gospodynią takiej menażerii, jaką stanowi Dudo. Może on sam powie jej, czego chce, kiedy się obudzi. Na razie niech śpi spokojnie.

Spojrzała na niego, uśmiechnęła się na przekór sobie i pospieszyła w głąb Pałacu.

„Gardzę" rymuje się z „najbardziej"

Dudo obudził się nieco odświeżony i postanowił kategorycznie rozprawić się z Hrabiną, ale to już! Odnalazł ją bez najmniejszego trudu. Pałac roił się wprost od służących, najwyraźniej bardzo zajętych czymś, co każdej z nich po kolei kazało znaleźć się choć na chwilę w pobliżu nowo przybyłego Królewicza i natychmiast czmychać, z dłonią przyciśniętą do ust i drgającymi ramionami. Najbardziej opanowana ze służących zaprowadziła Duda do ogrodu Bellafrygi.

Hrabina przechadzała się w tę i z powrotem po kamiennych płytach ścieżki dzielącej dwa lawendowe żywopłoty, lecz na widok Duda przystanęła,

155

wsparła się łokciami o tarczę zegara słonecznego i zmierzyła gościa drwiącym spojrzeniem, czekając, by odezwał się pierwszy. „Godzinę wam podam, gdy będzie pogoda" – głosił zegar słoneczny (jak mu to podszepnęła Bellafryga w pewne deszczowe popołudnie), lecz chwilowo przeszkadzała mu w obowiązkach sama Hrabina.

– A więc tu jesteśmy – zauważył zjadliwie Dudo.

– Tak, tu jesteśmy – odparła słodko Bellafryga. – Wszyscy bez wyjątku.

Nagle wybuchnęła śmiechem.

– Och, Królewiczu Dudo – wykrztusiła. – Skonam przez ciebie. Już dziś możesz mnie uznać za swą kolejną ofiarę.

Łatwo jest gniewać się na kogoś, kto się bez przerwy z człowieka wyśmiewa, ale niełatwo coś tym wskórać, zwłaszcza gdy... ale nie rozwódźmy się już nad ułomnością Duda.

– Nie widzę tu nic śmiesznego – rzekł Dudo z godnością. – Dla osoby inteligentnej powierzchowność to jeszcze nie wszystko.

– Tylko że to wcale nie czyni jej mniej śmieszną, prawda? – drażniła go dalej Bellafryga. – Chciałam, aby przydarzyło ci się coś zabawnego, ale nawet w najśmielszych marzeniach...

– Ach tak – przerwał jej Dudo. – Zatem wszystko jasne.

Wyrzekł to tonem chytrego prokuratora, który zdołał sprytnie wyciągnąć zeznanie z opornego świadka. Do takiego tonu świetnie pasuje grymas urzędowej przenikliwości; może właśnie dlatego Bellafryga znów się roześmiała.

– W zasadzie przyznała się pani – ciągnął dostojnie Dudo.

– Do czego?

– Do tego, ze zmieniła mnie pani w...

– Królika? – podrzuciła Bellafryga z niewinną minką.

Głupie uwagi w tym stylu zawsze dotykały Duda do żywego.

– Na jakiej podstawie sądzi pani, że jestem królikiem? – zapytał.

– A bądź sobie, czym chcesz, ważne, że w takim stanie nie odważysz się pokazać publicznie.

– Ostrożnie, kobieto, nie doprowadzaj mnie do ostateczności! Strzeż się, byś nie zbudziła lwa, który we mnie drzemie!

– A gdzie? – zapytała Bellafryga z dziecinnym zdumieniem.

Gestem pełnym godności i najlepszych manier Dudo skierował jej uwagę na swój ogon.

– Nie jest to ta część lwiej anatomii, której szczególnie bym się obawiała – rzekła Hrabina.

Dudo przez chwilę poczuł się zapędzony w kozi róg, ale szybko odzyskał równowagę.

– Nawet przyjąwszy – jedynie dla potrzeb dyskusji – że jestem królikiem, jako taki też mam swoje metody. Wezmę i powyjadam sadzonki pani goździków.

Bellafryga uwielbiała swój ogród ponad wszystko, jednak uspokoił ją fakt, że był dopiero lipiec. Zwróciła na to uwagę Dudowi.

– Nie upieram się przy goździkach – ostrzegł ją Dudo.

– Nie chciałabym spierać się z kimś, kto dysponuje (Królewicz wybaczy) instynktowną znajomością przedmiotu, ale obawiam się, że w tej akurat chwili w moim ogrodzie nie znajdzie się nic bliskiego gustom królika.

– Nie dbam o to, nie musi mi smakować – odpowiedział bohatersko Dudo.

To już brzmiało poważniej. Jej ukochany ogród, ogród, w którym tworzyła, doprowadzony do ruiny przez siepacze... siekacze... jak im tam... nieprzyjaciela!

Była to myśl nie do zniesienia.

– Nie jesteś królikiem – zapewniła go pospiesznie. – Nie możesz być królikiem, ponieważ... ponieważ nie marszczysz nosa, tak jak to robią króliki.

– Ale mógłbym – odparł z prostotą Dudo. – Tylko że mi się nie chce.

– Och, pokaż mi, proszę, jak to robisz! – zawołała Bellafryga, klaszcząc w dłonie z przejęcia.

Mimo iż celem jego wizyty wcale nie było kręcenie nosem, czynność nielicująca w dodatku z dostojeństwem Domu Królewskiego Arabii, Dudo poddał się woli niegodziwej kobiety.

– O, tak – pokazał.

Hrabina przyglądała mu się krytycznie, z głową przechyloną na ramię.

– Nie – zdecydowała. – Do niczego.

– Nie mam wiele wprawy.

– Przykro mi – rzekła Bellafryga tonem egzaminatora – ale tego uznać nie możemy.

Dudo zupełnie nie rozumiał, jak i kiedy ich rozmowa przybrała taki obrót.

Z niemałym wysiłkiem wycofał się z tematu.

– Dosyć tego, Hrabino – przerwał surowo. – Otrzymałem z twych ust potwierdzenie, że to ty właśnie rzuciłaś na mnie czary.

– Tak, to ja. Nie miałam zamiaru patrzeć, jak krzyżujesz moje plany.

– Plany mające na celu obrabowanie Księżniczki.

Bellafryga czuła, że wyjaśnienie Dudowi zasad rozrzucania pieniędzy nie miałoby sensu. Mężczyźni tacy jak Dudo albo Krzywonóżko nie potrafią wyjść poza ciasnotę przyziemnych poglądów. Spieranie się z nimi to zwykła strata czasu.

– Moje plany – powtórzyła Hrabina.

– Świetnie. A zatem udam się wprost do Księżniczki, a ona zdemaskuje cię przed ludem.

Oblicze Bellafrygi rozjaśnił uśmiech szczęścia. Podobne okazje nieczęsto się zdarzają.

– A kto – spytała niewinnie – zedrze przed ludem maskę z Waszej Książęcej Mości, tak aby każdy mógł pod nią zobaczyć prawdziwego Królewicza Dudo?

– O czym pani mówi? – zapytał Dudo, chociaż już zaczynał się domyślać.

– Ta szlachetna, urodziwa postać, tak słusznie będąca dumą Arabii... jakże pokażemy ją ludowi? Ujrzawszy cię w tym stanie, ludzie mogą nabyć niesłusznego mniemania...

Dudo utwierdził się w przekonaniu, że właściwie pojmuje intencje Bellafrygi. Hiacynta przejrzała je od samego początku.

– A zatem jeśli Księżniczka Hiacynta przystanie na plany pani, zostanę przywrócony do dawnej postaci, w przeciwnym zaś razie pozostanę tym, kim jestem?

– Jakże trudno należycie ocenić ludzkie wysiłki – westchnęła Bellafryga. – Nie wątpię, że taki właśnie pogląd przyjmą przyszli historycy.

(Krzywonóżko – bez wątpienia tak).

Tego już było za wiele. Dudo zapomniał o dobrych manierach i rzucił się na Hrabinę. Ta umknęła z gracją za zegar słoneczny, z uroczym wyrazem zaniepokojenia na twarzy... i w tej samej chwili Dudo doszedł do wniosku, że o zwycięstwie w walce między nim a Hrabiną nie może rozstrzygnąć pospolita szarpanina. W dojściu do tego wniosku zdecydowanie pomogło mu to, że ogon znów się o coś zaczepił.

Bellafryga w mig podskoczyła na pomoc.

– Spokojnie, spokojnie – przemawiała kojąco. – Wasza Wysokość pozwoli, że go wyplączę. – Mówiąc to, usiłowała odczepić ogon. – Nawet taki drobny incydent może wyjaśnić nam pewne sprawy: gdybyś był królikiem, nic podobnego nie mogłoby się zdarzyć.

– To prawda, nie jestem nawet królikiem – przyznał ze smutkiem Dudo. – Jestem po prostu nikim.

Bellafryga wstała i złożyła przed nim głęboki dyg.

– Tyś jest Jego Wysokość Królewicz Dudo z Arabii. Legowisko Waszej Wysokości już gotowe. Kiedy Wasza Wysokość zechce udać się na spoczynek?

To już było, moim zdaniem, trochę niedelikatne. Chętnie pominąłbym te słowa Bellafrygi, gdyby nie to, że Krzywonóżko tak obstaje przy ich ujawnieniu.

– Teraz – odparł Dudo i z dostojnym smutkiem ruszył ku Pałacowi. Była to najgodniejsza rzecz, jaką dotychczas uczynił w Euralii.

W drodze do swego apartamentu natknął się na Treskę.

– Tresko – oświadczył z powagą. – Gdybyś kiedykolwiek miała okazję zrobić tej babie na złość, na przykład wsadzić jej jakąś, hm, niespodziankę do łóżka albo coś w tym stylu, bardzo cię proszę, zrób to.

Po czym udał się na spoczynek. Nie wgłębiajmy się lepiej w szczegóły jego toalety.

Jako kronikarzowi tych codziennych zdarzeń sprzed lat przystoi mi bezstronność. Powinienem rzec: „Oto są fakty, poddaję je waszym wielmożnościom pod ocenę. Bohaterowie mojej opowieści postąpili tak a tak: co wy na to, czcigodne panie i panowie?".

Wyznam, że nie stać mnie na to. Mam słabość do wszystkich bohaterów tej historii i nie mogę dopuścić, abyście któregokolwiek z nich źle zrozumieli. Jest tylko jedna postać, w obronie której wcale nie muszę stawać. Co do niej przynajmniej, zgadzamy się w pełni.

To Treska. Podzielamy zdanie Hiacynty: Treska była najgrzeczniejszą dziewczynką w Euralii. Dlatego wstrząśnie wami wiadomość (jak i mną wstrząsnęła owego dnia, gdy dowlokłem się do domu z siedemnastoma tomami Krzywonóżki pod pachą), że nadszedł dzień, w którym Treska była bardziej niegrzeczna niż ktokolwiek. I to naprawdę niegrzeczna. Każdemu może się zdarzyć, że rozedrze fartuszek albo zacznie czytać książki, zamiast je odkurzać. Przewinienie Treski miało tym razem zupełnie odmienny charakter.

Treska po prostu wzięła sobie do serca radę Królewicza Dudo. W trzy wieczory później, z premedytacją i ku uciesze wrogów Królestwa, a także z narażeniem na szwank bezpieczeństwa kraju, wyszykowała Hrabinie łóżko z niespodzianką.

Było to najdoskonalsze łóżko z niespodzianką w historii świata. Sam Cox nie zrobiłby tego lepiej, a i Newton niczego podobnego nie oglądał. Praca nad posłaniem zajęła Tresce cały ranek, za to rezultat, choć niedostępny oczom postronnym (to największy mankament łóżek z niespodzianką), przeszedł najśmielsze oczekiwania. Po półgodzinnych zmaganiach Hrabina spędziła noc w ogrodowym hamaku, układając pełną grozy „Odę do melancholii".

Treska, naturalnie, złapała żabę i wyniosła ją zaraz z samego rana, tak że podejrzenia Hrabiny pozostały bez dowodów. Tak rozpocząwszy tydzień wielkiej niegrzeczności, Treska doszła do wniosku, że czas działać dalej. Tylko jak?

Nagle doznała olśnienia. Poprzedniego dnia była naprawdę niegrzeczna; szkoda, żeby tak doskonała niegrzeczność miała się zmarnować. Czemu więc nie miałaby właśnie teraz wymówić tego jednego niegrzecznego życzenia, do którego upoważniał ją pierścień?

Zawsze nosiła go na szyi, pod sukienką. Wydobyła go stamtąd.

– Niech – rzekła, unosząc pierścień do oczu – niech Hrabina Bellafryga... – tu się zawahała, próbując wymyślić coś, co dotknęłoby Hrabinę do żywego. – Niech Hrabina Bellafryga już nigdy nie zdoła napisać ani jednego wiersza.

Wstrzymała oddech, jakby spodziewała się grzmotu lub innego zewnętrznego potwierdzenia śmierci muzy, która sprzyjała Bellafrydze. Nic takiego nie nastąpiło, za to Treskę zdumiała panująca wokół cisza. Poraziła ją nagła myśl, że może wszyscy poumierali, i uświadomiwszy sobie niecnotę własnego występku, Treska pobiegła na górę do swojego pokoju i zalała się łzami.

OBYŚCIE, ŁASKAWE PANIE I PANOWIE, POTRAFILI ODCZUĆ SKRUCHĘ RÓWNIE SZYBKO!

Ale nie miejsce tu na kazania. W godzinę później Treska udała się do ogrodu Bellafrygi, ciekawa, jak też objawi się u Hrabiny niemoc rymowania. Wybrała chyba najwłaściwszy moment.

W słodkiej męce tworzenia Bellafryga zapomniała nawet o żabie w łóżku – tak dalece pochłaniająca jest nasza profesja. Powitała Treskę ochoczo i ująwszy ją za rękę, powiodła ku klombowi róż.

– Rozmawiałam właśnie z drogimi różyczkami – wyjaśniła. – Posłuchaj:

Gdy po ogrodzie sobie spaceruję,
Róż rozkwitanie serce me raduje.
A najpiękniejsze – choć żadną nie gardzę –
Są karminowe. Te lubię najbardziej.
Motylek...

Niestety, nigdy nie dowiemy się, co było z motylkiem. Być może Treska pozbawiła nas możliwości poznania nowej prawdy o motylkach, która wstrząsnęłaby światem – nie wiadomo, gdyż tracąc panowanie nad sobą, przerwała Hrabinie.

– Kiedy pani to napisała?

– Skończyłam w chwili twego nadejścia, drogie dziecko. Podobne myśli nachodzą mnie dość często, kiedy tak sobie spaceruję po mym wspaniałym ogrodzie. „Motylek..."

Ale Treska wyswobodziła rękę i pobiegła w stronę Pałacu. Chciała być sama i dokładnie wszystko przemyśleć.

Co się stało? Co do tego, że pierścień jest naprawdę magiczny, tak jak jej powiedziała wróżka, Treska nie miała najmniejszych wątpliwości. Równie pewna była tego, że wypowiedziane przez nią życzenie było naprawdę niegrzeczne, a ona sama nabroiła wystarczająco, aby zarobić na jego spełnienie. Więc co się stało? Odpowiedź mogła być tylko jedna: ktoś inny już wcześniej wykorzystał niegrzeczne życzenie.

Ale kto? Nikomu przecież nie pożyczała pierścienia. Opowiedziała o nim Księżniczce, to prawda, ale...

Nagle sobie przypomniała. Hrabina przez chwilę miała pierścień w swoich rękach. Tak, tak, i pod byle pretekstem wysłała Treskę za drzwi, i...

Tyle myśli naraz zaczęło tłoczyć się w jej głowie, że Treska poczuła gwałtowną potrzebę podzielenia się nimi z kimś zaufanym. Pobiegła szukać Księżniczki.

„Dlaczego nie jesteś grzeczny jak Treska?"

Hiacynta była w bibliotece w towarzystwie Królewicza Dudo. Dudo spędzał tam ostatnio wiele czasu, pewien, że w którejś z licznych książek znajdzie wreszcie Poradę dla Dżentelmena, Który Chwilowo Popadł w Tarapaty, stosowną do jego przypadku. Pogrążona w smutku Hiacynta dzielnie dotrzymywała mu towarzystwa. Był to zaiste wspaniały pomysł, żeby zaprosić Duda do Euralii! Jakże gorzko żałowała teraz Hiacynta, że podobna myśl kiedykolwiek przyszła jej do głowy.

– O, Treska – uśmiechnęła się melancholijnie. – Co się z tobą działo przez cały ranek?

Usadowiony na macie Dudo spojrzał na Treskę i skinął jej głową.

– Wydało się! – rzekła Treska z wielkim przejęciem. – To Hrabina!

Dudo obrzucił ją rozbawionym spojrzeniem.

– Księżniczka Hiacynta – oznajmił – ma złote włosy. Do każdego odkrycia dochodzimy stopniowo – po czym wrócił do lektury.

Treska oniemiała.

– Rzecz w tym, moja miła – wyjaśniła Hiacynta – że wina Hrabiny jest tu całkiem oczywista i wiemy o niej już od dawna.

Dudo przybrał – na tyle, na ile umozliwiało mu to nowe oblicze – z lekka kpiącą minę osoby, która powiedziała właśnie coś głęboko ironicznego i jest z siebie dumna.

– Ach, tak... – Treska była tak rozczarowana, że w każdej chwili mogła się rozpłakać.

Hiacynta jęła ją pocieszać z właściwą sobie serdecznością.

– Wcale nie byliśmy tego pewni, tak nam się tylko wydawało. Za to teraz, skoro ty, Tresko, odkryłaś prawdę, będę mogła należycie ukarać Hrabinę. Nie, nie idź ze mną – dodała, wstając i kierując się ku drzwiom. – Zostań tutaj i służ pomocą Jego Wysokości. Może uda ci się znaleźć dla niego odpowiednią książkę; przeczytałaś ich w końcu więcej niż ja.

Pozostawiona sam na sam z Królewiczem, Treska przez chwilę nie mówiła nic, tylko przyglądała mu się w ogromnym napięciu.

– Czy wie pan wszystko o Hrabinie? – zapytała w końcu.

– Jeśli pozostało coś, czego nie wiem, musi to być coś bardzo niecenzuralnego.

– A więc wie pan, że to przeze mnie stał się pan tym, kim jest? Och, miły Królewiczu Dudo, tak strasznie mi przykro.

– Jak to: przez ciebie?

– Bo to był mój pierścień.

Gestem pełnym zakłopotania, lecz wielce ujmującym, Dudo podrapał się po łebku.

– Opowiedz mi wszystko od początku – poprosił. – Wydaje mi się, że jednak dokonałaś jakiegoś odkrycia.

Treska opowiedziała wszystko od samego początku. O tym, jak Wróżka podarowała jej pierścień, jak Hrabina pożyczyła go od niej na pięć minut i wymówiła niegrzeczne życzenie i jak ona, Treska, domyśliła się prawdy.

Opowieść ta wywarła na Królewiczu wielkie wrażenie. Przez jakiś czas dreptał w tę i z powrotem po bibliotece, coś do siebie pomrukując. Gdy skończył, zatrzymał się dokładnie na wprost Treski.

– Czy ten pierścień jeszcze działa? – zapytał. – To jest: czy może spełnić jeszcze jakieś życzenie?

– Tak, ale tylko jedno.

– Więc zażycz sobie, żeby ta baba zamieniła się w... – usiłował wymyślić coś odpowiednio złośliwego. – Może by tak w pająka, co? – zapytał z namysłem.

– Przecież to niegrzeczne życzenie! – zaprotestowała Treska.

– No to co, teraz na nią kolej.

– Wiem, ale zostało już tylko grzeczne życzenie. I ja już wiem – ożywiła się nagle – jakie ono będzie.

Dudo też wiedział. Tak mu się przynajmniej zdawało.

– Jakaś ty miła – rzekł, patrząc na Treskę z ogromną sympatią.

– Tak, moim życzeniem będzie: tańczyć jak wróżka.

Dudo nie wierzył własnym uszom, aczkolwiek miał je dostosowane do wszelkich okoliczności.

– A co to pomoże mnie? Mnie?! – zawołał, uderzając się łapką w pierś.

– Przecież to mój pierścień – odparła Treska. –
I dlatego wypowiem życzenie, żebym umiała tańczyć jak wróżka, i tyle. Już od dawna miałam taki
zamiar. Muszę tylko przez cały jeden dzień być bardzo grzeczna.

Co za samolubny dzieciak. Dudo zorientował
się, że musi przemówić do niej inaczej.

– Naturalnie – rzekł – nie mam nic przeciwko
tańcom, sądzę jednak, że w końcu cię one zmęczą.
Tak samo jak mnie zmęczy... sałata.

Treska nareszcie zrozumiała.

– Chce pan powiedzieć, że mogłabym życzyć sobie, aby stał się pan na powrót Królewiczem?

– No cóż – bąknął ostrożnie Dudo. – Nasunęło
mi się to jako przykład Grzecznego Życzenia.

– A więc już nigdy nie miałabym zatańczyć jak
wróżka?

– Ja też nie – powiedział Dudo. Ten dzieciak był
doprawdy przeraźliwie głupi.

– Nie, to zbyt okrutne! – tupnęła nogą Treska. –
Tak bardzo chciałabym umieć tańczyć.

Dudo ujrzał przyszłość w czarnych barwach.

– Spędzić resztę życia za drucianą siatką – du-
mał głośno – w wiecznym strachu przed różowo-
oką fretką, i wszędzie, gdzie się pójdzie, dostawać

otręby... otręby... otręby, tydzień po tygodniu, miesiąc po miesiącu, rok po roku, stulecie po... jak długo właściwie żyje królik?

Ale Treska była nieugięta.

– Nie zrezygnuję z mojego życzenia – oświadczyła z determinacją.

Dudo z godnością opadł na cztery łapy.

– Nie rezygnuj – odparł. – Jest mnóstwo innych sposobów na zdjęcie uroku. Wyuczę się kawałka poezji naszego nadwornego poety Sacharino i wyrecytuję go wspak, gdy księżyc stanie na nowiu. Albo jeszcze coś innego. Poradzę sobie sam, nie ma obawy. Zatrzymaj życzenie dla siebie.

Majestatycznie opuścił bibliotekę. Ogon (bardziej niż kiedykolwiek przywodzący na myśl linkę od dzwonka) podążał za nim z godnością. Chwóścik do pociągania pozostał przez chwilę z tyłu, ale wkrótce zniknął z pola widzenia za sprawą gwałtownego szarpnięcia i Treska była w bibliotece sama.

– Nie oddam mojego życzenia! – zawołała. – Wypowiem je teraz, zaraz, zanim zrobi mi się żal. – Uniosła pierścień. – Chcę, żeby... – Urwała gwałtownie. – Biedny Królewicz Dudo, jest taki nieszczęśliwy. Czy to na pewno dobre życzenie – chcieć umieć tańczyć, kiedy inni są nieszczęśliwi? – Rozmyślała nad tym przez chwilę, po czym podjęła historyczną decyzję: – Tak. Wypowiem życzenie, żeby Dudo został odczarowany.

Po raz wtóry uniosła pierścień w obu dłoniach.

– Chcę, żeby Królewicz Dudo...

Wiem, co chcecie teraz powiedzieć. Wypowiadanie grzecznego życzenia nie miało w owej chwili najmniejszego sensu, gdyż Treska była w przeddzień niegrzeczna – podłożyła Hrabinie żabę do łóżka, i tak dalej – okropność! Jakże więc mogła liczyć na...

Nie liczyła. Przypomniało jej się to w samą porę.

– O, psiakość! – przerwała sobie, stojąc pośrodku sali, z pierścieniem uniesionym nad głową. – Przecież muszę być najpierw grzeczna przez cały dzień. O, psiakość!

Tak więc następny dzień był Dniem Wielkiej Grzeczności Treski. Legendę o tym dniu przekazywano potem w Euralii przez długie lata, z pokolenia na pokolenie. We wszystkich kalendarzach oznaczono go – a był to dzień Dwudziestego Lipca – czerwoną gwiazdką; Krzywonóżko poświęca mu w swym wiekopomnym dziele caluteńki rozdział. Rozważano nawet – jak podaje Krzywonóżko – obwołanie Dwudziestego Lipca świętem państwowym, ale projekt nie przeszedł. Euralianki karciły swe nieposłuszne dzieci słowami: „Dlaczego nie możesz być grzeczny jak Treska?", a dzieci szeptały sobie nawzajem, że tak naprawdę to żadnej Treski nigdy nie było i że to tylko bajka zmyślona przez rodziców. A jednak daję wam słowo, że to była prawda.

Na początek Treska wstała o piątej rano, ubrała się bardzo starannie (pamiętała nawet, aby jak najdokładniej wycisnąć wodę z gąbki), posłała łóżko i wysprzątała pokój. Przez chwilę zastanawiała się, czy nie obudzić przypadkiem wszystkich dorosłych w Pałacu, aby i oni mogli nacieszyć się pięknym porankiem, ale doszła do wniosku, że nie byłby to wcale dobry uczynek; odkurzyła więc tylko Salę Tronową i wykonała kilka przysiadów, po czym opuściła Pałac i poszła zadbać o drobny inwentarz.

Na śniadanie zjadła trzy porcje czegoś bardzo pożywnego, od czego, zdaniem Hrabiny, rosło się jak na drożdżach, za to tylko po jednej porcji innych potraw. Przez cały czas siedziała bardzo prosto i ani razu nie pokazała palcem, ani nie popijała z pełną buzią.

Po śniadaniu wysypała na trawnik okruszki dla wróbli i na nowo zabrała się do pracy.

Najpierw odkurzała, odkurzała i jeszcze raz odkurzała; potem zamiatała, zamiatała i jeszcze raz zamiatała; potem cerowała, cerowała i jeszcze raz cerowała. Ilekroć do sali weszła osoba starsza rangą lub wiekiem, Treska podnosiła się, dygała i z rękami założonymi do tyłu słuchała, co się do niej mówi. Wystarczyło powiedzieć: „Gdzie też podział się mój, no, jak mu tam...", a już Treska zrywała się na równe nogi z okrzykiem: „Zaraz przyniosę!", nawet jeśli przedmiot poszukiwań znajdował się na górze.

Po obiedzie naszykowała kosz wiktuałów, które zamierzała rozdać staruszkom zamieszkałym w pobliżu zamku. Niektórym z nich pośpiewała do tego lub poczytała na głos, a kiedy w jednej chatce usłyszała propozycję: „Czy mogłabyś teraz dla mnie zatańczyć?", uśmiechnęła się bohatersko i odparła: „Obawiam się, że nie tańczę zbyt dobrze". Moim zdaniem, zachowała się wyjątkowo uprzejmie; na miejscu Wróżki, darowałbym jej w tym momencie całą resztę dnia.

Po powrocie do Pałacu wypiła dwie szklanki ciepłego mleka, i to z kożuchem, a następnie zabrała się do pielenia trawnika Hrabiny; gdy zaś przypadkiem wdepnęła w rabatkę, nie zatarła pośpiesznie śladu, udając, że w ogóle nie było jej w pobliżu – tak jak wy pewnie zrobilibyście na jej miejscu – lecz pozostawiła wyraźny odcisk podeszwy tam, gdzie stąpnęła.

O wpół do siódmej ucałowała wszystkich (także i Duda) na dobranoc i udała się do łóżka.

Tak zakończył się dzień Dwudziesty Lipca, najbardziej chyba pamiętna data w historii Euralii.

Dudo i Hiacynta spędzili ten dzień w zaciszu biblioteki. Jako dżentelmen – choć w jagnięcej skórze – Dudo nie poskarżył się Księżniczce, że Treska odmówiła mu pomocy. Mężczyzna ma swój honor. Być zamienionym w krzyżówkę trzech zwierząt przez trzydziestoletnią kobietę, a następnie odczarowanym przez dziesięcioletnią dziewczynkę znaczyłoby, że jest się igraszką w rękach płci przeciwnej. Dudo uznał, że najwyższy już czas poradzić sobie samemu.

– Jak idzie ten kawałek z Sacharina? Muszę sobie przypomnieć. – Wystukał rytm łapką. – „Krew za coś tam, coś tam, coś. Moje coś tam, coś tam, coś..." Coś w tym stylu. „Krew za... yyy... krew... za... yyy..." Nie, nic tego. Pamiętam tylko, że było tam trochę krwi.

– Na pewno wkrótce sobie przypomnisz – pocieszyła go Hiacynta. – Wydaje mi się, że to jest właśnie zaklęcie, którego nam trzeba.

– Och, przypomnę sobie bez wątpienia. Niektóre słowa chwilowo wyleciały mi z pamięci, to wszystko. „Krew... yyy... krew". Musiałaś to już kiedyś słyszeć, Księżniczko: o krwi dla tego, kto coś tam; na pewno wiesz, o co mi chodzi.

– Tak, tak – odparła Księżniczka, marszcząc brew – tylko że chwilowo nie potrafię sobie przypomnieć. To jest o... o...

– No właśnie – podchwycił Dudo.

Oboje wpatrzyli się w sufit, mrucząc pod nosem fragmenty zaklęcia.

Ale przyszło południe i żadne z nich nie przypomniało sobie całości.

Spożywszy niewyszukany posiłek, wrócili do biblioteki.

– Najlepiej – oświadczył Dudo – napiszę do Całkownika i poproszę go o ten tekst.

– Zdawało mi się, że mówiłeś o Sacharino.

– Ach, Całkownik to nie poeta, to tylko mój przyjaciel, ale w tych sprawach raczej niezawodny. Najgorsze, że list tam i z powrotem będzie szedł okropnie długo.

Na słowo „list" Hiacynta drgnęła gwałtownie.

– Och, Królewiczu Dudo! – zawołała. – Nigdy sobie tego nie daruję. Przypomniało mi się właśnie coś strasznie ważnego. Ojciec mój pisał w liście, że ułożony przezeń niegdyś dwuwiersz świetnie się nadaje do... yyy... usuwania różnych rzeczy.

– Jakich rzeczy? – zapytał Dudo bez większej nadziei.

– No, czarów i takich tam...

„Takie tam" troszkę uraziły Duda, gdyż w jego mniemaniu określenie to zrównywało przywrócenie mu postaci Królewicza z usunięciem rdzy ze starego hełmu.

– Brzmi to tak – rzekła Hiacynta.

Ba, bi, bo, bam.
La, li, lo, lam.

Myślę, że taki dwuwiersz potrafi usunąć wszystko – dodała z uśmiechem.

Dudo wyprostował się z niemałym przejęciem.

– Spróbuję – oświadczył. – Czy trzeba przy tym robić coś szczególnego?

– Nie sądzę. Trzeba to chyba po prostu wyrecytować z głęboką wiarą w sens słów.

Dudo przycupnął na tylnych łapkach i mocno gestykulując prawicą, zadeklamował:

Ba, bi, bo, bam.
La, li, lo, lam.

Wpatrzył się w swoje łapki, oczekując przemiany.

Czekał.

I czekał.

Nic się nie działo.

– Zaklęcie jest w porządku – zapewniła go Hiacynta. – Mój ojciec się na tym zna. Spróbuj powiedzieć to inaczej – o tak.

I Hiacynta wyrecytowała dwuwiersz głosem tak omdlewającym, a zarazem pełnym godności, że mogłaby nim poruszyć i wyprowadzić za drzwi nawet stojące w sali fotele.

Dudo naśladował ją, jak umiał.

Mniej więcej w tej samej chwili, gdy Treska zasypiała, powtarzał zaklęcie na piętnasty z kolei sposób.

– Strasznie mi przykro – powiedziała Hiacynta. – Może to jednak nie jest aż tak dobre, jak się ojcu wydawało.

- Pozostaje jeszcze jedna szansa - odparł Dudo. - Możliwe, że zaklęcie należy wymówić na czczo. Spróbuję jutro przed śniadaniem.

Na górze Treska śniła o tańcu, z którym pożegnała się już na zawsze.

A co robiła Bellafryga? Doprawdy - nie mam pojęcia.

Na Hiacyntę
czeka narzeczony

Tak więc nazajutrz przed śniadaniem Treska stanęła na zamkowych murach i wymówiła życzenie. Obiegła wzrokiem łąki przecięte łagodnym strumykiem, aż po las, w którym po raz pierwszy spotkała Wróżkę, i westchnęła cichutko.

– Żegnaj, tańcu – rzekła, a potem uniosła pierścień wysoko i dowodząc wielkiego hartu ducha, poprosiła: – Byłam wczoraj bardzo grzeczna. Chcę, żeby Królewicz Dudo znów stał się królewiczem.

Przez dłuższą chwilę wokół panowała cisza, aż wreszcie z dołu, od strony pokoju Duda, rozległy się te oto pamiętne słowa:

– Zabierzcie to świństwo. Dajcie mi befsztyk i dzban białego wina!

Z uśmiechem przez łzy Treska wyjąkała:

– Na ucho wszystko w porządku. Cie-cie-cieszę się, naprawdę.

Więcej już nie mogła znieść. Zbiegła na dół i popędziła za bramy Pałacu – jak najdalej od Duda, Księżniczki, Hrabiny i całego ich gadania, do chłodnego, przyjaznego lasu, gdzie będzie mogła w samotności przemyśleć to, co utraciła.

W lesie panowała wielka cisza. Treska przysiadła u stóp swego ulubionego drzewa, weterana wieluset wiosen, które stało na straży odkrytej polanki, opadającej stokiem nad szemrzący strumyk i wspinającej się pod górę po jego drugiej stronie. Kiedyś marzyła, że zatańczy tu, na zielonej murawie, a teraz – już nigdy, nigdy, nigdy...

Jak długo mogła tam siedzieć? Z pewnością dosyć długo, gdyż las, z początku cichy, rozbrzmiewał teraz licznymi odgłosami. Drzewa pomrukiwały coś do Treski, to samo wyśpiewywały ptaki, nawet strumyk próbował dołączyć się do chóru, ale parskał ze śmiechu już na samą myśl, więc trudno było odgadnąć, co ma do powiedzenia. Trawy szumiały: „Wstań, wstań!", i wszystko wołało do niej: „Tańcz, tańcz!".

Treska wstała. Było jej trochę nieswojo. Wszystko wyglądało niesamowicie pięknie. Nigdy jeszcze się tak nie czuła. Tak, zatańczy. Musi im za to jakoś podziękować; wybaczą jej może, jeśli będzie to „dziękuję" nie najpiękniej wyrażone.

– To będzie podziękowanie – rzekła, podnosząc się z miejsca. – Potem już nigdy więcej nie zatańczę.

I zatańczyła...

Gdzie się podziewasz, Hiacynto? Twój narzeczony czeka gdzieś na ciebie.

Jest sam początek wiosny. Szpak rozdziawia żółty dziobek i gwiżdże, przenikliwie i czysto. Poranek przepełnia błękitna magia: niebo, u góry ciemnoniebieskie, roztapia się w biel na granicy wzgórz. Wietrzyk tam w górze, czeka na ciebie – czy wyjdziesz mu na spotkanie? Ach, stój, zatrzymaj się! Żywopłoty przywdziały na twoją cześć zielone opończe, mgliście zielenią się strzeliste wiązy, z których pokrzykują do siebie gawrony. Mlecznobiałą drogą, między rzędami pierwiosnków, zbliża się on. Czy spotkacie się już za zakrętem? A może za następnym? Hiacynto, on cię szuka.

(Przystanęła bez tchu i zaraz na nowo podjęła taniec).

Jest letnie popołudnie. Cała wioska odpoczywa, nie śpi tylko jeden człowiek. „A kuku! – woła spośród mrocznych drzew. – A kuku!" – powtarza i odbiega, by posłać odpowiedź. Pola zielono-złote śpią spokojnie, nie trapi ich wijąca się opodal wezbrana rzeka. W powietrzu ciąży gęsty zapach maja.

Gdzieżeś, Hiacynto? Czyż to nie tutaj mieliśmy się spotkać? Czekałem na ciebie tak długo!...

Treska zatrzymała się, a ukryty w krzakach podglądacz wycofał się w gąszcz, z głową rozpaloną cudownymi myślami.

Treska udała się do Pałacu, aby powiedzieć wszystkim, że umie tańczyć.

– Powiemy jej, jak to się stało? – spytał żartobliwie Dudo. – Po prostu: wymówiłem dwie linijki – wiersza oczywiście – wspak i... i oto jestem!

– Ooch! – powiedziała Treska.

Bellafryga bawi się doskonale

Owego dnia Dudę zbudziło wejście służącej z poranną porcją otrąb. Tuż po jej wyjściu Dudo zerwał się z posłania, strząsnął z siebie resztki siana i głosem nabrzmiałym tęsknotą wyrecytował:

Ba, bi, bo, bam.
La, li, lo, lam.

Czuł, że to jego ostatnia szansa. Wyczerpany, opadł z powrotem na siano i zasnął. Dopiero w blisko godzinę później obudził się na dobre.

Nie mam zamiaru wnikać w jego uczucia, pozostawiam to Krzywonóżce, który – mówiąc między nami – jest trochę snobem. Zajmuje go głównie dyshonor, jakim dla Królewicza Arabii musiała być zamiana w tak komiczne zwierzę, oraz radość Królewicza w chwili powrotu do dawnej postaci. Wydaje mi się, że każdy z nas byłby w tej sytuacji nie mniej uradowany. Z pewnością potrafimy sobie wyobrazić, co czuł Dudo.

Dumny jak paw przechadzał się po komnacie, popatrując w każde mijane zwierciadło, a wyobraziwszy sobie, że stoi przed Hiacyntą, wyciągnął ku niej dłoń ze słowami: „Ach, oto i Księżniczka! Jakże się dziś miewamy?". Nigdy jeszcze nie czuł się Dudo tak piękny i pewny siebie. Kręcąc kolejny piruet, zahaczył wzrokiem o nieszczęsne otręby i wtedy to właśnie wymówił pamiętne słowa, które już cytowałem.

Spotkanie z Hiacyntą przebiegło lepiej, niż to sobie wyobrażał. Nic wierząc własnym oczom, Księżniczka impulsywnie uścisnęła dłonie Duda i zawołała:

– Och, Królewiczu Dudo! Och, mój miły, jakże się cieszę!

Dudo podkręcił wąsa i poczuł się wesoły jak szczypiorek na wiosnę.

Przy śniadaniu (którym Dudo uraczył się należycie) omawiali plany.

Po pierwsze: należało wezwać Hrabinę.

Posłali po nią.

– Jeśli życzysz sobie, abym to ja prowadził przesłuchanie – zaproponował Dudo – nie wątpię, że...

– Myślę, że teraz, mając cię tu obok, poradzę sobie. Nie będę się jej tak strasznie bała.

Służąca powróciła.

– Pani jeszcze nie wstała, Wasza Wysokość.

– Proszę jej powiedzieć, że chcemy się z nią zobaczyć, jak tylko wstanie – rozkazała Księżniczka.

Służąca wyszła.

– Mówiłaś mi kiedyś o jej wojsku – rzekł Dudo. – Miałem taki pomysł (będąc... yyy... z dala od życia publicznego, miewałem sporo pomysłów), żeby kazać jej powołać prawdziwą armię na własny koszt, przy czym ona sama miałaby dożywotnio sprawować funkcję kwatermistrza.

– To takie przykre być kwatermistrzem? – spytała niewinnie Hiacynta.

– To coś potwornego. Miałem też inny pomysł...

Służąca znów stanęła w drzwiach.

– Hrabina nie najlepiej się czuje i chwilowo pozostanie w łóżku.

– Ach tak! Czy mówiła, kiedy ma zamiar je opuścić?

– Nie wyglądało na to, żeby pani miała w ogóle dzisiaj wstać. Kazała powiedzieć, że nie wie, kiedy wstanie.

Służąca wyszła, a Hiacynta i Dudo, stojąc w kącie, z ożywieniem dyskutowali o całej sprawie.

– Nie bardzo wiem, co moglibyśmy zrobić – rzekła Hiacynta. – Przecież nie wyciągniemy jej z łóżka siłą. A poza tym może ona naprawdę jest chora? A jeśli nigdy nie wstanie?

– To naturalnie byłoby – przyznał Dudo – dosyć...

– A gdybyśmy tak...

– Można by...

– Witam państwa – obwieściła Bellafryga, wchodząc niespodzianie do komnaty. Dygnęła uniżnie przed Księżniczką.

– Wasza Królewska Mość! A oto i drogi Królewicz Dudo w swej dawnej uroczej postaci!

Toaleta Hrabiny oszałamiała przepychem. W powłóczystej sukni ze złotego brokatu, wyciętej w karo, by odsłaniała alabastrową szyję, z opadającymi aż do kolan dwoma pasmami czarnych włosów poprzetykanych perłami, które zamykały się w pętlę na wysokości talii, Bellafryga wyglądała jak prawdziwa królowa – podczas gdy Hiacynta i Dudo, całkowicie zaskoczeni, przypominali parę konspiratorów, których przyłapała na omawianiu spisku przeciw Koronie.

– Po... podobno źle się pani czuje, Hrabino? – wyjąkała Hiacynta, z trudem opanowując zaskoczenie.

– Ja? Źle się czuję? – zawołała Bellafryga, przyciskając dłoń do piersi. – Myślałam, że to Jego Wysokość... Ale Jego Wysokość wygląda dzisiaj jak prawdziwy królewicz.

Obróciła na niego wzrok, a w jej oczach tyle było uwielbienia, rozbawienia, kokieterii, zuchwalstwa – nie wiem (Krzywonóżko też nie wie) czego jeszcze – że Dudo całkiem zapomniał, co ma do powiedzenia, i tylko patrzył na nią oczarowany.

Olśniła go już w chwili, gdy ujrzał ją w drzwiach. Z kobietami pokroju Bellafrygi nigdy nic nie wiadomo: możliwe, że celowo nie stroiła się przez kilka poprzednich dni, aby w razie potrzeby odwołać się do oręża swej urody. Taka potrzeba istotnie się nadarzyła: Dudo znów był mężczyzną, a ta ostatnia broń Bellafrygi wymierzona być mogła jedynie w mężczyznę.

Dudo nie miał nic przeciwko temu. Fakt, że na nowo podobał się kobietom, znaczył dla niego więcej niż cokolwiek innego. Każdy z nas zadowoliłby się sympatią Hiacynty, ale Dudo czuł się przy Księżniczce trochę nieswojo. Nie potrafił zapomnieć zdarzeń ostatnich dni, a zwłaszcza tego, że wzbudzał w Hiacyncie litość. Bellafryga natomiast nigdy nie okazała mu ani cienia współczucia.

Hiacynta już zdołała się opanować.

– Dość tego, Hrabino – rzekła z godnością. – Nie zapomnieliśmy o planowanej przez ciebie zdradzie stanu ani o podłej napaści na naszego gościa, Królewicza Dudo. Rozkazuję ci teraz nie opuszczać terenu Pałacu, póki nie postanowimy, co z tobą zrobić. Możesz odejść.

Bellafryga pokornie spuściła wzrok.

– Jestem na rozkazy Waszej Królewskiej Mości. Gdyby Wasza Królewska Mość mnie potrzebowała, będę w ogrodzie.

Podniosła wzrok, rzuciła Królewiczowi Dudo przelotne spojrzenie i wyszła.

– Wstrętna baba – podsumowała Hiacynta. – Co z nią zrobimy?

– Myślę – odparł Dudo – że dobrze będzie, jeśli się z nią najpierw poważnie rozmówię. Nie wątpię, że uda mi się wyciągnąć z niej prawdę o spisku, który knuła przeciwko tobie. W grę mogą wchodzić i inne osoby: jeśli tak, musimy postępować z dużą ostrożnością. Z drugiej strony, mogła to być tylko źle ukierunkowana gorliwość, a wówczas...

– Czy to przez źle ukierunkowaną gorliwość zamieniła cię w...

Dudo pośpiesznie uniósł dłoń.

– Nie zapomniałem o tym – rzekł. – Bądź pewna, że wyegzekwuję pełne odszkodowanie. A teraz – którędy się idzie do jej ogrodu?

Hiacynta nie bardzo wiedziała, co ma myśleć o swoim gościu. W chwili, gdy po raz pierwszy ujrzała go w odczarowanej postaci, kontrast między nowym wyglądem a poprzednim był tak uderzający, że Dudo wydał jej się nieomal pięknym Królewiczem, o jakim śniła. Potem jednak z każdą chwilą oddalał się od ideału. Rysy twarzy miał zbyt pospolite, sposób bycia zanadto pompatyczny, a także widoczną skłonność do tycia.

Co więcej, był odrobinę nazbyt pewny własnej pozycji w jej domu. Hiacynta liczyła na jego pomoc, ale nie pragnęła jej aż tyle, ile najwyraźniej miała otrzymać.

Dudo wkroczył do ogrodu Bellafrygi z uczuciem, że zanosi się na całkiem przyjemny dzień. Kiedyś już odwiedził to miejsce, ale tego ranka ogród wydał mu się znacznie piękniejszy, a oczekująca go tam kobieta znacznie bardziej godna pożądania.

Bellafryga przesunęła się na ławce, robiąc obok siebie miejsce dla Duda.

– Tu właśnie siaduję, pisząc wiersze – powiedziała. – A może Wasza Wysokość nie przepada za poezją?

– Przepadam – odparł pośpiesznie Dudo. – Nigdy co prawda nie pisywałem wierszy, a nawet nie czytałem ich za wiele, ale z całego serca podziwiam tych, którzy... yyy... podziwiają poezję. Ale nie przyszedłem tu, Hrabino, aby rozmawiać o poezji.

– Doprawdy? – zdziwiła się Bellafryga. – A jednak z pewnością zna Wasza Wysokość dzieła Sacharina, słynnego barda Arabii?

– Sacharino... tak, oczywiście. „Krew za coś tam, coś tam... Moje coś tam...” Bardzo sympatyczny wierszyk. Wszyscy go znają. Przyszedłem tu jednak, aby pomówić z panią o czymś zupełnie innym...

Krew za krew i pieg na piegu,
Moje rymy czytaj w biegu...

– zacytowała cicho Bellafryga. – To chyba najdoskonalsza perełka całej twórczości Sacharina.

– Jasne! – zawołał Dudo z wielkim przejęciem. – Wiedziałem, że to znam, gdybym tylko...

Umilkł nagle na wspomnienie okoliczności, w jakich potrzebował wierszyka. Chrząknął z godnością i po raz trzeci wyjaśnił Hrabinie, że odwiedza ją nie dla rozmowy o poezji.

– Mimo to – ciągnęła Bellafryga, nie pojmując najwyraźniej intencji Duda – za najwybitniejszy z jego utworów uważam odę do Waszej Wysokości z okazji ukończenia osiemnastych urodzin. Jakże się ona zaczyna?

Królewicz nasz, Dudo, odważny i śmiały,
Ma lat osiemnaście, więc nie jest już mały.
Osiemnaście już lat,
Odkąd przyszedł na świat
W Pałacu Królewskim nasz Dudo wspaniały.

– Ci nadworni poeci – rzekł Dudo niedbale – zawsze człowiekowi pochlebiają.

Jeśli spodziewał się w tym miejscu komplementu, musiał przeżyć rozczarowanie.

– W tej kwestii – odparła Bellafryga – nie mogę się wypowiedzieć, póki nie poznam Waszej Wysokości nieco bliżej. – Spojrzała na niego z ukosa. – Czy Wasza Wysokość jest bardzo... zuchwały?

– Ja... yyy... no... y... jak by tu tego... – biedził się Dudo, czując, że z każdą chwilą staje się coraz mniej zuchwały. Powinien był z góry przewidzieć, że nie znajdzie odpowiedzi na to pytanie.

– Wasza Wysokość – rzekła ze słodką minką Bellafryga – nie będzie chyba zbyt zuchwały wobec nas, biednych Euralian.

Dudo wyjaśnił jej po raz czwarty, że celem jego wizyty było kategoryczne rozmówienie się z Hrabiną i że ona najwyraźniej błędnie tłumaczy sobie jego intencje.

– Ach, Królewiczu Dudo, proszę o wybaczenie! – zawołała błagalnie Bellafryga. – Byłam pewna, że Wasza Wysokość odwiedził mnie w poszukiwaniu bratniej duszy, równie jak on wrażliwej na piękno.

– Nnnie – wyjąkał Dudo. – Niezupełnie.

– W takim razie o co chodzi? – Bellafryga aż klasnęła w dłonie z przejęcia. – Na pewno o coś niezwykle ciekawego.

Dudo wstał. Miał wrażenie, że w pewnej odległości uda mu się być bardziej surowym. Odszedłszy kilka metrów, zwrócił się ku Hrabinie i wsparł łokieć o tarczę zegara słonecznego.

– Hrabino – zaczął z całą surowością. – Przed dziesięciu dniami, u zarania podróży do miejsca, w którym się obecnie znajduję, zostałem nagle...

– Sekundeczkę! – przerwała mu Bellafryga. Poszeptała coś z przejęciem, bardziej do siebie niż do Duda, a następnie poderwała się z ławki wraz z poduszką, którą, podbiegłszy do Królewicza, ułożyła pod jego łokciem.

– Byłoby mu przecież strasznie niewygodnie – upomniała sama siebie, wracając w pośpiechu na ławkę. Usiadła i wbiła wzrok w Duda, opierając łokcie na kolanach, a podbródek na dłoniach. – Teraz proszę opowiadać dalej – poprosiła bez tchu.

Dudo otworzył usta z wyraźnym zamiarem usłuchania jej prośby, ale nie wydobył z siebie ani słowa. Wyglądało na to, że całkiem stracił wątek. Czuł, że robi z siebie durnia, stercząc tak z łokciem na poduszce, jakby przemawiał na wiecu. Zerknął w bok w bezpodstawnej nadziei, że ujrzy przy łokciu dyżurną szklaneczkę wody, a Bellafryga, która w lot zrozumiała to spojrzenie, uniosła się, gotowa w każdej chwili biec po karafkę. To by było dokładnie w jej stylu. Dudo z pasją odrzucił poduszkę (– Uwaga! Moje róże! – krzyknęła Bellafryga) i wściekły zbliżył się do Hrabiny.

Bellafryga spojrzała na niego wielkimi, niewinnymi oczami.

– To... to... Proszę natychmiast przestać tak patrzeć!

– Jak? – zdziwiła się głośno Bellafryga, patrząc znowu dokładnie tak samo.

– Proszę przestać! – wrzasnął Dudo i zaczął kopać poduszkę przez całą długość kamienistej ścieżki. – Dosyć tego!

Bellafryga przestała.

– Wie pan co? – powiedziała. – Aż się pana boję, kiedy się pan tak na mnie gniewa.

– Tak, gniewam się. Gniewam się strasznie, okropnie. Jestem nad wyraz zdenerwowany.

– Tak też mi się zdawało – westchnęła Bellafryga.

– I pani doskonale zna powód.

Kiwnęła ku niemu głową.

– To wszystko przez mój temperament – oświadczyła. – Kiedy tracę cierpliwość, zawsze robię takie nieprzemyślane posunięcia.

Znowu westchnęła i pokornie przeniosła wzrok na ziemię.

– Nie powinna pani – pouczył ją Dudo, czując, że jego opór słabnie.

– To obelga rzucona mojej płci wprawiła mnie w taką złość. Nie mogłam znieść myśli, że my, kobiety, nie możemy nawet przez tak krótki czas same sobą rządzić, że trzeba wzywać na pomoc mężczyznę. – Nieśmiało podniosła wzrok na Duda. – Naturalnie, nie wiedziałam wówczas, jak ten mężczyzna będzie wyglądał. Teraz, kiedy już wiem... – Nagle, gestem pełnym tęsknoty, wyciągnęła ku niemu ramiona. – Zostań z nami, Królewiczu Dudo, i dopomóż nam! Mężczyźni są tacy mądrzy, tacy odważni, tacy... wspaniałomyślni. Obce im niskie poczucie zemsty, tak typowe dla kobiet.

– Doprawdy, Hrabino, my... eee... ty... eee... Naturalnie, w tym, co mówisz, jest wiele słuszności i ja... eee...

– Czy nie zechciałbyś jednak usiąść przy mnie, Królewiczu Dudo?

Dudo zajął miejsce obok Bellafrygi.

– A teraz – oświadczyła Hrabina – porozmawiajmy o wszystkim spokojnie jak przyjaciele.

– Oczywiście – zaczął Dudo – rozumiem, o co pani chodzi. Nigdy mnie pani nie widziała, nic pani o mnie nie słyszała, byłem dla pani po prostu jakimś tam mężczyzną.

– A jednak już od chwili przybycia Waszej Wysokości zaczęłam się domyślać, jaki jesteś naprawdę.

Spod... eee... maski, jaką przybrałeś, wyzierała odwaga i duma. Ale nawet gdybym umiała przywrócić ci wówczas twą dawną postać, bałabym się to zrobić, gdyż nie wiedziałam jeszcze, jaki potrafisz być łaskawy i wyrozumiały.

Kwestia wybaczenia Hrabinie była dla Duda w tym momencie przesądzona. Kiedy kobieta wielkiej urody dziękuje mężczyźnie z pokorą za coś, czego jeszcze nie otrzymała, dżentelmen ma tylko jedno wyjście. Dudo uspokajająco poklepał dłoń Hrabiny.

– Dzięki, ach, dzięki Wasza Wysokość! – Bellafryga otrząsnęła się wdzięcznic i zerwała z miejsca. – Czy Jego Wysokość zechce teraz obejrzeć mój piękny ogród?

– Ogród, w którym jesteś ty, Hrabino, zawsze będzie piękny – odparł Dudo z galantcrią. Jak na mężczyznę, który jeszcze poprzedniego dnia żywił się nenufarem i otrębami – całkiem nieźle.

Ramię w ramię przespacerowali się po ogrodzie. Dudo był już zupełnie pewny, że zanosi się na sympatyczny dzień.

Dopiero w godzinę później powrócił do biblioteki. Hiacynta oczekiwała go z wielką niecierpliwością.

- I co, i co? - zapytała na powitanie.

Dudo pokiwał głową z miną mędrca.

- Porozmawiałem z nią na temat jej zachowania wobec mojej osoby - oświadczył. - Nie spodziewam się więcej kłopotów z tej strony. Hrabina w sposób wyczerpujący przedstawiła mi motywy swego postępku i postanowiłem tym razem puścić jej to płazem.

- A kradzieże, a intrygi, a knowania przeciwko mnie?!

Dudo patrzył na nią przez chwilę nieprzytomnym wzrokiem, ale wziął się w garść.

- Mam z nią o tym porozmawiać dzisiaj po południu.

Król Barodii
zostaje pozbawiony wąsów

Król Radowłos siedział w namiocie z głową mocno odchyloną do tyłu i wzrokiem wbitym w sufit. Jego rumiane policzki były chwilowo śnieżnobiałe. Pachołek imieniem Carlo z całej siły trzymał go za nos. A jednak Król Radowłos nie walczył ani nie protestował: po prostu poddawał się goleniu.

Nadworny Cyrulik był jak zwykle rozmowny. Uwolnił na chwilę nos Jego Wysokości i odwracając się dla naostrzenia brzytwy, zauważył:

– Potworna ta wojna.

– Potworna – zgodził się Król.

– Końca nie widać, co?

– Zobaczymy – odparł Radowłos. – Zobaczymy.

Cyrulik znów zabrał się do roboty.

– Wie Król, co bym zrobił Królowi Barodii, gdybym go dostał w swoje ręce?

Radowłos nie odważył się przemówić, ale ruchem prawego oka dał Cyrulikowi do zrozumienia, że interesuje go podtrzymanie konwersacji.

– Zgoliłbym mu wąsy – oświadczył Carlo z głęboką determinacją. Król szarpnął się gwałtownie i przez chwilę „na śniegu" widniały ślady walki, zaraz jednak z powrotem odchylił głowę do tyłu i cała operacja została wkrótce zakończona.

– Wszystko będzie dobrze – uspokajał Króla Carlo, przemywając skaleczony podbródek. – Jego Wysokość niepotrzebnie się poruszył.

– To moja wina, Carlo. Podsunąłeś mi po prostu pewien pomysł.

– Zawsze do usług Waszej Miłości.

Z chwilą gdy znalazł się sam, Król sięgnął po tabliczki. Miał zwyczaj odnotowywać na nich wszystkie wielkie myśli, jakie przychodziły mu do głowy w ciągu dnia. Tym razem zapisał tę oto wzniosłą maksymę:

„Klejnot mądrości padnie czasem z ust najnędzniejszego sługi".

Uderzeniem w gong przywołał Kanclerza.

– Mam świetny pomysł – obwieścił mu.

Kanclerz ukrył zdumienie i wyraził zadowolenie.

– Proponuję złożyć dzisiejszej nocy sekretną wizytę Jego Wysokości Królowi Barodii. Który z widocznych opodal namiotów został przez moich szpiegów rozpoznany jako królewski?

– Ten duży w samym środku, nad którym widnieje herb królewski.

– Tak też myślałem. Widziałem nawet nieraz, jak Jego Wysokość wchodził do środka. Ale człowiek woli trzymać się przyjętych obyczajów. Działając na podstawie informacji dostarczonych nam przez zaufanych szpiegów, proponuję wkroczyć dzisiejszej nocy do namiotu Króla Barodii i...

Kanclerz zadrżał z niecierpliwości.

– ...i zgolić mu wąsy.

Kanclerz zadrżał z uciechy.

– Wasza Wysokość – rzekł drżącym głosem. – Od czterdziestu już lat, chłopcem wpierw będąc, a potem mężczyzną, służę Waszej Wysokości i służyłem nieodżałowanej pamięci ojcu Waszej Wysokości, ale nigdy jeszcze nie spotkałem się z tak pięknym pomysłem.

Radowłos zmagał się z sobą przez chwilę, lecz wrodzona uczciwość wzięła w nim górę.

– Przyszło mi to do głowy po wysłuchaniu pewnej uwagi Nadwornego Cyrulika – wyznał mimochodem. – Ostateczną wersję planu wykoncypowałem, naturalnie, osobiście.

– Klejnot mądrości – zauważył sentencjonalnie Kanclerz – padnie czasem z ust najnędzniejszego sługi.

– Mam nadzieję – rzekł Radowłos, machinalnie ścierając z tabliczki zapisane tam przed chwilą słowa – że nie będzie to wbrew zasadom?

– W żadnym wypadku, Wasza Miłość. Kroniki Euralii notują wiele dowodów poczucia humoru bliskiego temu, co Wasza Wysokość właśnie zaproponował: humoru, który – że się tak wyrażę – ukazując ignorantom jaśniejsze oblicze wojny, pozostaje przy tym w głębokim związku z podstawowymi względami strategii.

Radowłos popatrzył na niego z podziwem. Oto prawdziwy Kaclerz.

– Dokładnie to samo – wyznał – powiedziałem sobie, kiedy ten pomysł przyszedł mi do głowy. Fakt, że pomoże nam to wygrać wojnę – pomyślałem sobie – nie powinien nam przesłaniać faktu, że Król Barodii bez wąsów będzie wyglądał bardzo śmiesznie. Dzisiejszej nocy zrobię wypad i urzeczywistnię mój plan.

Tak więc o północy Król wyruszył z obozu. Kanclerz z pewnym niepokojem oczekiwał jego powrotu. Planowany cios (czy też raczej ciach) mógł się wszak okazać decydującym dla losów wojny. Władcy Barodii od wieków słynęli ze swych rudych wąsów. Istniało nawet w owych czasach porzekadło: „Przegrany jak Król Barodii bez wąsów". Król bez wąsów, i to w dobie tak krytycznej dla losów swego kraju, to się po prostu nie mieściło w głowie! W najlepszym razie zmuszony będzie żyć w odosobnieniu, aż mu wąsy odrosną, a do tego czasu pozbawiona królewskiego dowództwa armia Barodii zmieni się w rozwydrzoną hałastrę.

Myśl ta nie była Kanclerzowi niemiła: z niecierpliwością wyglądał powrotu do Euralii, gdzie czekał na niego dom z wygodami. Nie, żeby narzekał na nudę życia polowego; roboty miał dość. Zadaniem jego było między innymi sprawdzanie kompetencji wszystkich magów i czarnoksiężników, jakich sprowadzano do obozu. Pojawiał się taki szarlatan i twierdził na przykład, że za pięć tysięcy koron zamieni Króla Barodii w czarną świnkę. Doprowadzono go przed oblicze Kanclerza.

– Twierdzicie więc, że potraficie zamienić człowieka w czarną świnkę? – pytał Kanclerz.

– Tak, panie. Odziedziczyłem tę zdolność po dziadku.

– No to zamień mnie – proponował z prostotą Kanclerz.

Rzekomy czarnoksiężnik podejmował próbę. Zaraz po wygłoszeniu zaklęcia Kanclerz przeglądał się w lusterku. Następnie kiwał na dwóch żołnierzy, a ci przywiązywali oszusta plecami do grzbietu muła i wśród szyderczych okrzyków wyganiali z obozu. Takich oszustów (którzy zarobili na tym przynajmniej muła) było sporo, w związku z czym życie Kanclerza obfitowało w emocjonujące momenty.

A jednak tęsknił do prostych wygód własnego domu. Lubił po zakończeniu obowiązków w Pałacu powałęsać się po ogrodzie, lubił, jedząc ostatni posiłek dnia, opowiadać żonie o wszystkich ważnych rzeczach, jakich dokonał od chwili ostatniego z nią pożegnania, i podkreślać w tych rozmowach swoją ważność jako powiernika wielu tajemnic wagi państwowej, których żona nie powinna nawet usiłować od niego wyciągnąć. Kobieta z mniejszym wyczuciem uznałaby po takim zastrzeżeniu temat za zamknięty, ale żona Kanclerza wiedziała, że niczego nie pragnie on bardziej, niż być namawianym do zdrady sekretów. Ponieważ jednak uznawała potem owe tajemnice za nieciekawe i niewarte dalszego rozgłaszania, niedyskrecja Kanclerza nikomu nie wyrządziła większej szkody.

– Pomóż mi zdjąć pelerynę – zażądał głos tuż przed nosem Kanclerza.

Po chwili poszukiwań, dłonie Kanclerza natrafiły na masywną sylwetkę.

Rozpiął pelerynę, odsłaniając tym samym swego monarchę.

– Dziękuję. No, zrobione. Dokonałem tego z bólem serca, takie były wspaniałe, ale jakoś się przemogłem. Biedaczek, przez cały czas spał jak niemowlę. Ciekawe, co powie, kiedy się obudzi.

– Przyniósł je Król z sobą? – zapytał z przejęciem Kanclerz.

– Mój miły Kanclerzu, cóż za pytanie! – Król wydobył temat rozmowy z kieszeni. – Rankiem wciągniemy je na maszt, żeby pokazać całej Barodii.

– To go nie uraduje – zachichotał Kanclerz.

– Nie bardzo sobie wyobrażam, jak mógłby przeszkodzić naszej akcji – odparł Radowłos.

Król Barodii także nie bardzo to sobie wyobrażał.

Zbudził się tego ranka z potężnym kichnięciem i w tej samej chwili poczuł dziwny przeciąg na policzkach. Sprawdził ręką i natychmiast upewnił się co do najgorszego.

– Hej tam! – ryknął na strażnika przed drzwiami.

– Wasza Wysokość – gorliwy strażnik już stał u wejścia.

Król natychmiast dał nura pod koc.

– Przyślij tu do mnie Kanclerza – rozkazał wściekłym głosem z czeluści pościeli.

Wchodzący Kanclerz mógł powitać jedynie tylne partie swego dostojnego monarchy.

– Kanclerzu – rzekł Król. – Przygotuj się na szok.

– Tak, panie – odparł Kanclerz, okropnie się trzęsąc.

– Zobaczysz coś, czego nie widział jeszcze nikt w całej historii Barodii.

Nie mając zielonego pojęcia, o co może chodzić, Kanclerz czekał wielce zdenerwowany. W następnej chwili namiot rozpłynął mu się przed oczami i Kanclerz stracił świadomość czegokolwiek.

Kiedy przyszedł do siebie, Król lał mu na kark wodę z konwi, mrucząc przy tym do ucha niezgrabne słowa pocieszenia.

– Wasza Wysokość! – wykrztusił nieszczęsny Kanclerz. – Och, Wasza Wysokość! Nie wiem, co mam powiedzieć Waszej Wysokości! – Mówiąc to, usiłował się wytrzeć, a woda ciurkała z niego na podłogę.

– Weźże się w garść – poradził surowo Król. – Będziemy potrzebowali całej twojej mądrości – a nie masz jej w nadmiarze – aby znaleźć wyjście z obecnego kryzysu.

– Wasza Wysokość, kto się odważył na ten haniebny uczynek?

– Skąd mam wiedzieć, głupcze? Myślisz, że patrzyłem, jak on to robił?

Kanclerz poczuł się trochę dotknięty. Zwracano się już do niego per „głupcze" i był do tego nawet przyzwyczajony, ale jak dotąd, mówił mu tak jedynie człowiek z parą straszliwych ryżych wąsów. To samo słowo pochodzące z ust człowieka o twarzy nalanej i dość pospolitej wydawało się Kanclerzowi prawie nie do przyjęcia.

– Co Wasza Wysokość proponuje? – spytał, przybierając ton zasadniczy.

– Proponuję, co następuje: ty weźmiesz sprawę na siebie.

Kanclerz nie wydawał się zaskoczony.

– Twoim zadaniem będzie obwieścić rzecz ludowi w formie tak łagodnej, jak to tylko możliwe. Zaczniesz od tego, że mam bardzo pilne spotkanie z wielkim czarnoksiężnikiem, który się właśnie do mnie zgłosił, i dlatego dziś rano nie pokażę się ludowi. W parę godzin później ogłosisz, że czarnoksiężnik zdradził mi sposób zwyciężenia podstępnych Euralian, przy czym podkreślisz fakt, że zwycięstwo to – zdaniem czarnoksiężnika niewątpliwe – zakłada nadludzkie wprost poświęcenie z mojej strony, które jednak gotów jestem ponieść dla dobra mojego ludu. Na koniec oznajmisz z wielką powagą, że tym, co poświęcam, co, ściślej mówiąc, już poświęciłem, są ni mniej, ni więcej, tylko moje... Dlaczego ta hołota tak tam wiwatuje? – Gromki wybuch śmiechu poniósł się aż do nieba. – Co to ma znaczyć? Idź i zobacz.

Kanclerz zbliżył się do wejścia namiotu i... zobaczył.

Wrócił do Króla, starając się w miarę możności zbagatelizować wiadomość.

– Euralianie wywiesili nad swoim obozem taki śmieszny emblemat. Wasza Królewska Mość nie byłby tym chyba rozbawiony.

– Nie mam dzisiaj głowy do żartów – powiedział Król. – Wracajmy do rzeczy. Jak więc mówiłem, obwieścisz ludziom, że to nadludzkie poświęcenie, na które ich Król się godzi, ma związek z jego... Znowu wrzeszczą. Muszę zobaczyć, o co chodzi. Odsłoń wejście, żebym mógł widzieć, nie będąc widzianym z zewnątrz.

– To... to na pewno nie rozśmieszy Waszej Królewskiej Mości.

– Dajesz mi do zrozumienia, że nie mam poczucia humoru? – uniósł się Król.

– Skądże, panie. Są jednak żarty, żarty w najpodlejszym guście, które nie mogą po prostu zadowolić subtelnego smaku Waszej Wysokości. Ten dowcip należy, moim zdaniem, właśnie do owego gatunku.

– Sam to najlepiej osądzę – przerwał mu chłodno Król. – Natychmiast odsłoń wejście.

Kanclerz odsłonił wejście, a oczom Króla ukazały się jego własne ukochane wąsy, powiewające dumnie na wietrze pod sztandarem królewskim Euralii.

Król Barodii nie był człowiekiem sympatycznym, a córki miał zdecydowanie brzydkie, ale w pewnych momentach nie sposób go nie podziwiać. Taki moment właśnie się nadarzył.

– Możesz zamknąć – rzekł do Kanclerza. – Instrukcje, które ci właśnie wydałem – ciągnął tym samym chłodnym tonem – odwołuję. A teraz muszę chwilę pomyśleć. – Zaczął przemierzać swój apartament w tę i z powrotem. – Ty także możesz myśleć – dorzucił łaskawie. – Gdyby przyszło ci do głowy coś nie całkiem bzdurnego, możesz powiedzieć to głośno.

Nie przestawał chodzić.

Nagle stanął jak wryty. Zatrzymał się przed wielkim zwierciadłem. Po raz pierwszy od czasu, gdy miał lat siedemnaście, widział własną twarz bez wąsów.

Nie odrywając wzroku od odbicia w lustrze, skinął na Kanclerza.

– Chodź no tutaj – przyciągnął go bliżej za ramię. – Widzisz? – Palcem wskazał odbicie. – Ja tak wyglądam? Czy to lustro się nie myli? Naprawdę tak wyglądam?

– Tak, panie.

Przez chwilę Król wpatrywał się zafascynowany w lustro, po czym zwrócił się do Kanclerza.

– Ty, tchórzu! – rzekł z pogardą. – Ty nędzna imitacjo człowieka! Nogi z waty, w głowie sieczka, a dusza na ramieniu! I ty się korzysz przed Królem, który tak wygląda? Powinieneś dać mi kopniaka i tyle!

Kanclerz przypomniał sobie, że jeden kopniak słusznie by się Królowi należał. Uniósł stopę, ale wtem uderzyła go pewna myśl.

– Mógłby mi Król oddać – zauważył.

– I z pewnością bym to uczynił – zgodził się Król.

Kanclerz wahał się przez chwilę.

– Uważam – rzekł w końcu – że osobiste porachunki w obliczu wspólnego wroga byłyby widowiskiem godnym pożałowania.

Król spojrzał na niego, zaśmiał się krótko i podjął spacer po namiocie.

– Znowu ta gęba – westchnął, mijając lustro. – Nie, to nie ma sensu, z taką twarzą nie mogę być Królem. Abdykuję.

– Ależ, Wasza Wysokość, to potworna decyzja. Czy Wasza Wysokość nie mógłby pożyć chwilę w odosobnieniu, póki znów nie zapuści Wasza Wysokość wąsów Waszej Wysokości? Byłoby to...

Król zajął pozycję naprzeciwko Kanclerza i spojrzał na niego z góry, z wyrazem miażdżącej powagi.

– Kanclerzu – przemówił. – Te oto wąsy, które przed chwilą widziałeś łopoczące na wietrze, były przez lat z górą czterdzieści moim najgorszym

213

przekleństwem. Przez czterdzieści z górą lat musiałem żyć tak, jak mi nakazywały te wąsy, a nie jak dyktowała moja prawdziwa natura – łagodna czy też wręcz dobrotliwa. Musiałem być wyniosły, porywczy, apodyktyczny, bo takich cech wymagano od tego, kto nosił owe wąsy. Grałem więc rolę – z początku z dużym trudem, ostatnio jednak – niestety! – z rosnącą łatwością. Ale to, co obserwowałeś, nigdy nie było moim prawdziwym obliczem.

Przerwał i w skupieniu popatrzył na odbicie swojej twarzy.

– Ależ, Wasza Wysokość – wtrącił skwapliwie Kanclerz – po cóż zatem abdykować w tej właśnie chwili? Pomyśl, Wasza Wysokość, jak chętnie powita kraj nowego Króla, któregoś mi przed chwilą ukazał. Chociaż – dodał z żalem – to już nigdy nie będzie to samo.

Król odwrócił się ku niemu.

– Oto głos prawdziwego Barodianina – powiedział. – To już nie będzie to samo. Barodianie przywykli do pewnych cech swoich władców, bez których już nie daliby sobie rady. Nowy Król mógłby wprowadzić nowe obyczaje, ale mnie ludzie pamiętają dawnego, nie chcieliby, abym się zmienił. Nie, mój Kanclerzu, abdykuję. A ty mnie nie żałuj. Z największą radością myślę o życiu, jakie mam przed sobą.

Kanclerz wcale nie żałował Króla. Żałował siebie, bo przyszło mu do głowy, że nowy Król zechce być może przeprowadzić zmiany w Kanclerzach na równi ze zmianami w obyczajach i w wąsach.

– Co Król zamierza robić? – zapytał.

– Będę prostym poddanym Jego Królewskiej Mości nowego Króla, zarabiającym na życie pracą własnych rąk.

Słysząc to, Kanclerz w zdumieniu uniósł brwi.

– Wydaje ci się, jak mniemam – ciągnął wyniośle Król – że nie starczy mi inteligencji, aby na siebie zarobić.

Chrząkając, Kanclerz zauważył, że wybitne zalety, które czynią doskonałego Króla, nie zawsze muszą iść w parze z... yyy... i tak dalej.

– To tylko dowodzi twojej nikłej znajomości przedmiotu. Dam ci jeden przykład. Tak się składa, iż mam dowód na to, że drzemią we mnie niezwykłe talenta świniopasa.

– Świniopasa?

– Człowieka, który... eee... pasie świnie. Zdziwisz się zapewne, gdy ci powiem, że udając świniopasa, konwersowałem swobodnie z przedstawicielem tego zawodu, który nawet nie zaczął niczego podejrzewać. Takie aktywne życie na świeżym powietrzu bardzo by mi odpowiadało. Wypas, dojenie, dojenie, wypas i tak dzień po dniu. – Po obliczu Króla rozlał się szeroki uśmiech szczęścia, pierwszy, jaki Kanclerz kiedykolwiek widział na tym miejscu. Król jowialnie klepnął Kanclerza po plecach i dodał: – Wymarzone życie.

Kanclerz był zdumiony i rozbawiony. Będzie o czym opowiadać na bankietach, kiedy wojna się wreszcie skończy!

– Jak zostanie to ogłoszone? – zapytał, uderzając szczęśliwie w ton pośredni między tym, jakim należy się zwracać do monarchy, a tym, którym się przemawia do świniopasa.

– To już twoje zadanie. Zrzucając z siebie przekleństwo wąsów, pozbyłem się i dumy, ale nawet świniopas nie chciałby przecież, żeby się rozniosło, że został siłą ogolony we śnie. Niedopuszczalne, aby tego właśnie miała dotyczyć ostatnia wzmianka o mnie w annałach Barodii. Ogłosisz zatem, że poległem w otwartej – choć toczonej pod osłoną nocy – walce, z ręki Króla Euralii, nad którego namiotem me wąsy powiewają teraz w dowód zwycięstwa.

Puścił do Kanclerza perskie oko i dorzucił:

– Nie mam nic przeciwko rozpuszczaniu pogłoski, że poprzedniego wieczora ktoś skradł mój Magiczny Miecz.

Kanclerz aż zaniemówił z zachwytu i pełnej aprobaty. Podobnie jak jego euralijski kolega, i on odczuwał przemożną tęsknotę za domem. Wojna była rezultatem osobistej zniewagi Króla. Skoro Król przestał być Królem – jaki sens miało kontynuowanie wojny?

– Powinienem chyba – rzekł przyszły świniopas – posłać Królowi Euralii notę z wyjaśnieniem mojej decyzji. Dziś o zmroku wymknę się stąd, by rozpocząć nowe życie. Nie widzę powodu, dla którego ludzie nie mieliby jutro z rana powrócić do domów. Jeszcze jedno! Strażnik mojego namiotu wie przecież, że nie zginąłem tej nocy. To trochę komplikuje sprawę...

– Sądzę – odparł Kanclerz, który widział już w wyobraźni własny powrót do domu i nie miał zamiaru pozwolić, żeby byle wartownik zawrócił go z drogi – sądzę, że zdołam mu wytłumaczyć, iż Wasza Wysokość został tej nocy zabity nieodwołalnie.

– No to w porządku – ucieszył się Król. Zdjął z palca pierścień. – To mu pewnie pomoże uwierzyć. Zostaw mnie teraz, abym mógł napisać do Króla Euralii.

List ten sprawił Radowłosowi ogromną przyjemność. Król Barodii informował w nim otwarcie o zakończeniu wojny i zamiarze abdykacji. Rządy miał po nim objąć syn, którym Król Euralii nie powinien się zbytnio przejmować, bo to poczciwy głupek. Król Barodii byłby wdzięczny za rozprzestrzenianie pogłoski, że wąsy zdobyte zostały w równej walce – co w gruncie rzeczy wydaje się wersją korzystną dla obu stron. Mówiąc szczerze, Król Barodii cieszy się, że już ich nie ma, ale trzeba zachować resztki godności. Obecnie Król Barodii zamierza wycofać się z życia publicznego, co przyszłoby mu o wiele łatwiej, gdyby rozniosło się za granicą, że zginął z ręki Króla Euralii.

Radowłos spał do późna po nocnej wycieczce i gdy się zbudził, nota już na niego czekała. Natychmiast wezwał Kanclerza.

– Co zrobiłeś z tym... no... trofeum? – zapytał.

– Powiewa właśnie na maszcie flagowym Waszej Wysokości.

– Ach tak! A co na to moi ludzie?

– Pękają ze śmiechu, Wasza Wysokość, ubawieni subtelnością żartu.

- Tak, tak, ale co mówią?

- Jedni mówią, że Wasza Wysokość zakradł się nocą podstępnie do obozu nieprzyjaciela i obciął Królowi wąsy we śnie; inni zaś opowiadają, że dając dowód wielkiego męstwa Wasza Wysokość pokonał Króla Barodii w śmiertelnej walce i uniósł jego wąsy jako łup wojenny.

- Ach tak! A co ty im na to?

Kanclerz zrobił urażoną minę.

- Rzecz jasna, Wasza Wysokość, nie wdawałem się w dyskusje.

- Wiesz, rozmyślałem nad tym w nocy i przypomniało mi się, że jednak go zabiłem. Rozumiesz?

- Lud z radością przyjmie wieść o sukcesach szermierczych Waszej Wysokości.

- No właśnie - podchwycił natychmiast Król. - To by było wszystko... Teraz wstanę. A jutro wszyscy ruszamy do domu.

Kanclerz wyszedł, zacierając ręce z wielkiej uciechy.

Najstarsze drzewo w puszczy poprawia humor dwu bardzo młodym osobom

Czy pamiętacie ten dzień, w którym Księżniczka Hiacynta i Treska siedziały na zamkowych murach, rozmawiając o bliskim przybyciu Królewicza Dudo? Królewna myślała, że Dudo będzie brunetem, Treska zaś – że blondynem; chciały go ulokować w Purpurowej – a może Błękitnej? – komnacie...

Tak czy owak, Dudo miał pokazać Hrabinie, gdzie jest jej właściwe miejsce i uczynić Euralię krainą szczęśliwości. Siedzącej znów razem z Treską na murach Hiacyncie wydawało się, że wszystko to wydarzyło się ze sto lat temu.

Była bardzo samotna. Marzyła o pozbyciu się „pomocy z zewnątrz dla ratowania naszego biednego kraju", o którą tak nieopatrznie się postarała. Teraz miała przeciwko sobie ich dwoje. Z czynną opozycją Bellafrygi nie było jej łatwo, ale mieć Bellafrygę ukrytą za plecami Duda, który stał się jej poplecznikiem – Duda wezwanego dla wspólnej narady nad losami kraju – to było stokroć gorsze.

– Tresko – zapytała – co robisz, kiedy czujesz się bardzo samotna i nikt cię nie kocha?

– Tańczę – odparła bez namysłu Treska.

– A jeśli nie chce ci się tańczyć?

Treska spróbowała przypomnieć sobie te zamierzchłe czasy (sprzed mniej więcej tygodnia), kiedy jeszcze nie umiała tańczyć.

– Dawniej chodziłam do lasu – odparła – i siadałam pod moim ulubionym drzewem. I po jakimś czasie znów wszyscy mnie kochali.

– Ciekawe, czy pokochaliby i mnie?

– Na pewno tak. Pokazać ci moje sekretne drzewo?

– Tak, ale nie idź ze mną; powiedz mi tylko, gdzie ono jest. Chcę cierpieć w samotności.

Treska wytłumaczyła Księżniczce, że trzeba iść pewną ścieżką, która wchodzi w las z samego brzegu, aż do miejsca, gdzie puszcza się przerzedza, a ścieżka rozrasta w polankę; tam należy zejść w dół, do strumyka, przekroczyć strumyk i wspiąć się na wzgórze po przeciwnej stronie, gdzie znów zaczynają się drzewa.

Pierwsze z brzegu, największe, najstarsze i najpiękniejsze, jest właśnie drzewem Treski. Dotarłszy do niego, trzeba się odwrócić, usiąść, opierając plecy o pień i spojrzeć na drogę, którą się przybyło – a wtedy wie się natychmiast, że wszystko jest w porządku.

– Znajdę je na pewno – rzekła Hiacynta, wstając z miejsca. – Dziękuję ci, moja droga.

Znalazła drzewo, usiadła pod nim i najpierw z goryczą pomyślała o Dudzie i Bellafrydze, a nawet o swoim ojcu, który odjechał na wojnę i zostawił ją samą, ale stopniowo począł ją otulać łagodny spokój miejsca i Hiacynta poczuła w końcu, że jakoś znajdzie wyjście z trapiących ją kłopotów. Chciała jedynie, aby ojciec powrócił już do domu, ponieważ ją kochał, a dobrze by było znów czuć się kochaną.

– Pięknie tu, prawda? – przemówił jakiś głos za jej plecami.

Odwróciwszy się gwałtownie, Hiacynta ujrzała wysokiego młodzieńca, który wyłonił się właśnie spomiędzy drzew.

– Och, kimże pan jest, za pozwoleniem? – zapytała zdumiona obecnością nieznajomego.

Strój młodzieńca nie mówił jej nic, za to z jego twarzy wyczytała informacje bardzo dla siebie miłe.

– Nazywam się Całkownik – odparł.

– Bardzo ładne imię.

– Owszem, ale nie radzę dać mu się zwieść. Nie należy do żadnej wyjątkowej osoby. Czy mogę usiąść? Zazwyczaj siaduję tutaj o tej mniej więcej porze.

– Czyżby mieszkał pan w puszczy?

– Od tygodnia. – Uśmiechnął się przyjaźnie i dodał: – Spóźniła się pani, co?

– Spóźniła?

– Tak, czekam tu na panią od siedmiu dni.

– Skąd pan w ogóle wiedział, że ja istnieję? – uśmiechnęła się Hiacynta.

Całkownik ruchem ręki objął roztaczający się przed nimi pejzaż.

– Musiał istnieć ktoś, dla kogo to wszystko zostało stworzone; ktoś, kto od czasu do czasu mówiłby temu widokowi „dziękuję".

– Czy pan właśnie to robi od tygodnia?

– Ja? To nie chodzi o mnie. Nie, ta polanka należy do pani, a pani straszliwie ją zaniedbała.

223

– Przychodzi tu pewna mała dziewczynka – powiedziała Hiacynta. – Może ją pan kiedyś spotkał?

Całkownik odwrócił wzrok. W jego sercu były sekretne miejsca, do których Hiacynta nie miała wstępu – przynajmniej na razie.

– Tańczyła – stwierdził krótko.

Na chwilę zapadła między nimi cisza, ale cisza przyjazna, jakby znali się i lubili od lat.

– Wie pan co? – Hiacynta spojrzała w dół, na wyciągniętego u swych stóp Całkownika. – Właściwie nie powinno tu pana w ogóle być.

– Żałuję, że nie mogę podzielać tego poglądu – odparł Całkownik. – Miałem paskudne uczucie, że wzywa mnie tu obowiązek. Uwielbiam miejsca, w których właściwie wcale nie powinno się być. A pani?

– Uwielbiam to miejsce – westchnęła Hiacynta. – Treska miała świętą rację. – Widząc pytający wzrok Całkownika, wyjaśniła: – Treska to ta dziewczynka, która tańczy.

– Tak, ona się zna – rzekł Całkownik, nie patrząc na Hiacyntę.

Hiacynta poczuła się dziwnie wypoczęta. Wydawało jej się, że już nigdy w życiu nie zazna przykrości, że nigdy już nie będzie musiała polegać wyłącznie na sobie samej. Kim on jest? Ale to nie miało znaczenia. Mógł odejść i nie pokazać się więcej, a ona i tak nie będzie się już bała świata.

– Sądziłam – rzekła – że wszyscy mężczyźni z Euralii są na wojnie.

– Ja też – odparł Całkownik.

– Kim więc pan jest? Księciem z dalekiego kraju? Czarodziejem? Szpiegiem Barodii? Wędrownym muzykantem? Przyzna pan, że daję mu spory wybór.

– Jestem jedynie tym, kim jestem: Całkownikiem.

– A ja jestem Hiacynta.

Wiedział to, oczywiście, ale nie zdradził się niczym.

– Hiacynto – powiedział, wyciągając dłoń.

– Całkowniku – odparła Hiacynta, podając mu swoją.

Pędzący dołem strumyk chichotał sam do siebie.

– Muszę już iść – powiedziała.

– Naprawdę musisz? – zapytał Całkownik. – Nie myślałem, że podaję ci rękę na pożegnanie.

– Muszę.

– Zdumiewająca rzecz – rzekł Całkownik. – Jutro to miejsce będzie wyglądało tak samo ładnie. Jutro o tej samej porze.

– To rzeczywiście zdumiewające – uśmiechnęła się Hiacynta.

– Tak, przy czym nie można w tej sprawie polegać na relacji z drugiej ręki.

– Uważasz, że powinnam przekonać się osobiście? Może masz rację.

– Gdybym akurat przechodził w pobliżu, gwizdnij na mnie – powiedział mimochodem Całkownik.

– Powiesz mi, czy rzeczywiście miałem rację. Do zobaczenia, Hiacynto.

– Do zobaczenia, Całkowniku.

Skinęła mu przyjaźnie głową i z gracją zbiegła ze wzgórza.

Całkownik patrzył za nią.

– Co ten Dudo wyprawia? – mruknął sam do siebie. – A może ona nie przepada za zwierzętami? Cały dzień czekania. To wieczność!

Gdyby wiedział, że Dudo – już z powrotem dwunożny – przebywał w owej chwili w ogrodzie Bellafrygi, usiłując – po raz piąty w tym tygodniu – streścić jej swe chłopięce lata w Arabii, jego zdumienie byłoby zapewne jeszcze większe.

Z Całkownikiem rozstaliśmy się, jak pamiętacie, w Arabii. Został tam jeszcze przez następne trzy czy cztery dni, rozmyślając nad tym, jak też się wiedzie Dudowi, i odczuwając rosnącą potrzebę zajęcia się sprawą. Czwartego dnia dosiadł konia i puścił się w drogę. Chciał koniecznie sprawdzić, jak rozwijają się wydarzenia. Jeśliby Dudo potrzebował pomocy, Całkownik gotów był mu jej udzielić; jeśli zaś wszystko było w porządku, mógłby spokojnie powrócić do Arabii.

Szczerze mówiąc, Całkownik trochę zazdrościł przyjacielowi. Na dworze jego wuja zatrzymał się kiedyś niejaki Królewicz Perywal, dawny kandydat do ręki Hiacynty, który przegrawszy w zorganizowanych przez Radowłosa zawodach ze słynnym siedmiogłowym bykiem euralijskim, zaniechał dalszych konkurów. Królewicz ów nosił przy sobie portrecik Hiacynty, namalowany specjalnie dla niego przez Nadwornego Malarza, który to portret Całkownik miał możność obejrzeć. Z tego właśnie powodu wzbraniał się początkowo przed towarzyszeniem Dudowi do Euralii i z tego samego powodu, nieco później, bez większego trudu przekonał sam siebie, że wzywają go tam względy przyjaźni.

Ostatni tydzień spędził w puszczy. Z chwilą gdy dotarł na miejsce, przestał być pewny, że wie, jak ma przeprowadzić swoją misję. Nie natrafił, jak dotąd, na żaden ślad Duda – czy to czworo-, czy dwu-

nożnego – i wydawało się całkiem możliwe, że nie
natrafi na taki ślad, póki nie pójdzie do Pałacu i nie
zapyta o Królewicza. Gdyby zaś udał się do Pałacu
i znalazł Duda w jak najlepszej formie, a Królewnę
Hiacyntę zakochaną – wówczas czekałoby go najgorsze: musiałby zostać tam i wychwalać zalety
Duda, co dla mężczyzny, który kocha, nie jest miłą
perspektywą. Do tego czasu bowiem zdążył już
wyznać sam sobie, że kocha Hiacyntę, chociaż jej
nigdy w życiu nie widział.

Czekał więc ukryty w puszczy, z nadzieją, że coś
się w końcu wydarzy. Najpierw pojawiła się Treska... a teraz, wreszcie, Hiacynta. Całkownik był
bardzo zadowolony, że zdecydował się czekać.

Nazajutrz Hiacynta znów przyszła pod drzewo.

– Wiedziałem, że przyjdziesz – powitał ją
Całkownik. – Jest równie pięknie jak wczoraj,
prawda?

– Moim zdaniem, jeszcze piękniej – odparła
Hiacynta.

– Chodzi ci o te białe obłoczki? To był mój pomysł, żeby je tam umieścić. Wiedziałem, że ci się
spodobają.

– Zastanawiam się, co robisz całymi dniami.
Bardzo jesteś zajęty?

– Och – odparł Całkownik – zawsze jeszcze zostaje mi trochę czasu na śpiewanie.

– Dlaczego śpiewasz?

– Bo jestem młody, a puszcza jest piękna.

– Ja też śpiewałam dziś rano.

– Czemu? – spytał Całkownik, nie kryjąc oczekiwania.

– Bo wojna z Barodią skończona.

– O! – zawołał Całkownik, nieco rozczarowany odpowiedzią.

– Ciebie to pewnie nie obchodzi. Gdybyś był Euralianinem...

– Ależ obchodzi mnie ogromnie. Pozachwycajmy się chwilę przyrodą, abym mógł spokojnie pomyśleć. O, nadpływa kolejny z moich białych obłoczków.

Całkownik zastanawiał się, co teraz nastąpi. Skoro Król wraca, Dudo nie będzie już potrzebny, chyba że jako konkurent do ręki Hiacynty. Gdyby więc Dudo wrócił do Arabii, dowiódłby tym samym... A jeśli Dudo nadal jest zwierzęciem? Wątpliwe, czy w takiej postaci zdecyduje się wracać do kraju. Istniała jeszcze jedna możliwość: być może Dudo w ogóle nie dotarł do Euralii.

Przed Całkownikiem piętrzyło się wiele pytań, a obok siedziała ta, która znała na nie odpowiedzi.

Całkownik postanowił jednak działać bardzo ostrożnie.

– Dziewięćdziesiąt siedem, dziewięćdziesiąt osiem, dziewięćdziesiąt dziewięć, sto! – oznajmił triumfalnie. – Już pomyślałem, a ty się napatrzyłaś.

– I co postanawiasz? – uśmiechnęła się Hiacynta.

– Co postanawiam? – Całkownik był nieco zaskoczony. – Ach, nie, nie podejmowałem żadnych decyzji, tak sobie po prostu rozmyślałem. Myślałem o zwierzętach.

– To tak jak ja.

– Zdumiewające! A i nieładnie z twojej strony. Miałaś przecież podziwiać moje obłoki. Co to za zwierzę zaprzątało twoje myśli?

– Och, różne zwierzęta.

– Ja myślałem o królikach. Lubisz króliki?

– Nie za bardzo.

– Ja też nie. Zanadto kłapią uszami. A lwy – lubisz lwy?

– Uważam, że mają beznadziejne ogony – odparła Hiacynta.

– Może i masz rację. No a... jedwabiste jagniątka?

– Straciłam ostatnio sympatię do jedwabistych jagniątek.

- Doprawdy? Istotnie, nic w nich ciekawego. Zabawne - ciągnął niedbale Całkownik, usiłując kątem oka dojrzeć minę Hiacynty - że rozmawiamy właśnie o tych trzech zwierzętach, bo spotkałem kiedyś kogoś, kto był ich mieszaniną - wszystkich trzech naraz.

- Ja też kogoś takiego spotkałam - rzekła z powagą Hiacynta.

Całkownik dostrzegł jednak drżenie w kąciku jej ust, a w następnej chwili Hiacynta odwróciła się i popatrzyła mu w oczy, po czym oboje wybuchnęli śmiechem.

- Biedny Dudo - powiedział Całkownik. - Jak on teraz wygląda?

- Już znowu po dawnemu.

- Po dawnemu? Dlaczego w takim razie nie... Ale ja się bardzo cieszę, że nie.

- Nie spodobał mi się - wyjaśniła Hiacynta z lekkim rumieńcem i mężnie dodała: - Podejrzewam jednak, że najpierw to ja nie spodobałam się jemu.

- Trzeba go jakoś udobruchać - zdecydował Całkownik. - Biorę to na siebie.

Hiacynta przyjrzała mu się z nowym zainteresowaniem.

– Wiem, kim jesteś – oświadczyła. – Dudo mówił mi kiedyś o tobie.

– A co takiego opowiadał? – zapytał Całkownik, umierając z ciekawości.

– Mówił, że znasz się na poezji.

Całkownik poczuł się nieco rozczarowany. Wolałby, aby doniesiono Hiacyncie, że zna się na smokach. Skoro jednak i tak się już spotkali, nie było to aż tak istotne.

– Księżniczko – przemówił uroczyście. – Dziwi się pani zapewne, co tu robię. Przybyłem otóż, aby się przekonać, czy Królewicz Dudo nie potrzebuje przypadkiem pomocy, a także czy pani nie potrzebuje przypadkiem pomocy. Dudo był moim przyjacielem, ale jeśli nie zachował się jak przyjaciel wobec pani, przestanie nim być. Proszę mi powiedzieć, co tu się wydarzyło i czy jest coś, w czym mógłbym być pomocny.

– Wczoraj nazwałeś mnie Hiacyntą – powiedziała Hiacynta. – Nie zmieniłam imienia.

– Hiacynto – rzekł Całkownik, biorąc ją za rękę. – Gdybyś mnie potrzebowała, powiedz.

– Dziękuję, Całkowniku. Widzisz, to jest tak...

I usiadłszy pod stuletnim drzewem Treski, Hiacynta opowiedziała wyciągniętemu u jej stóp Całkownikowi całą historię.

– Wszystko wygląda bardzo prosto – podsumował Całkownik po wysłuchaniu opowieści. – Duda należy wyłączyć z gry, a Hrabinę usadzić na właściwym miejscu. Ja zrobię pierwsze, a ty w tym czasie zajmiesz się drugim.

– Tak, ale jak mam wyłączyć Królewicza Dudo?

– To moje zadanie.

– No tak, drogi Całkowniku, ale czy nie sądzisz, że gdybym wiedziała, jak usadzić Hrabinę, zrobiłabym to już dawno? Nie wyobrażasz sobie, co to jest za postać. W dodatku ja nie bardzo wiem, gdzie właściwie jest jej miejsce, czyli gdzie miałabym ją usadzić. Zapomniałam ci chyba powiedzieć, że mój ojciec... dosyć ją lubi.

– Twój ojciec czy Dudo?

– Obaj.

– W takim razie nic prostszego. Po prostu zabijemy Duda, a... a... W każdym razie połowę kłopotów będziemy mieli z głowy.

– A reszta?

Całkownik namyślał się przez chwilę.

– A może prościej byłoby zrobić odwrotnie – zaproponował. – Zabić Hrabinę, a Duda usadzić na właściwym miejscu.

– Ojciec nie ucieszyłby się z takiego rozwiązania, a przecież jutro wraca do domu.

Całkownik nie widział tu żadnego problemu. Jeśli Król kocha Hrabinę, poślubi ją bez względu na to, co uczyni Hiacynta. I co to za sens usadzać ją gdziekolwiek na jeden dzień, skoro następnego dnia i tak przesiądzie się na tron?

Hiacynta odgadła jego myśli.

– Nic nie rozumiesz! – zawołała. – Ona nie wie, że Król ma jutro wrócić! Gdybym tylko zdołała jej pokazać – choćby i przez godzinę – że się jej nie boję i że musi słuchać moich rozkazów, nie bolałabym tak bardzo nad tym, co się tu działo przez ostatnie tygodnie. Ale jeśli za to, że mnie przez cały czas lekceważyła, że od dnia wyjazdu ojca spiskowała na moją niekorzyść, ma ją spotkać jedynie to, że poślubi ojca i zostanie Królową Euralii – z mojej godności nie pozostanie już nic. Przestanę być Księżniczką.

– Muszę się zobaczyć z tą Bellafrygą – rzekł pogrążony w myślach Całkownik.

– Och, Całkowniku, Całkowniku! – zawołała Hiacynta. – Jeśli i ty się w niej zakochasz, umrę ze wstydu.

– W niej, Hiacynto? – Całkownik popatrzył na Księżniczkę z wielkim zdumieniem.

234

– Tak, ty... nie wiedziałam... ty przecież... ja... – słowa zamarły jej na ustach. Nie mogąc dłużej znieść spojrzenia Całkownika, Hiacynta spuściła wzrok, a w tej samej chwili otoczyły ją jego ramiona i zrozumiała, że już nigdy nie będzie sama.

Dudo zachowuje się
jak dżentelmen

– A teraz – odezwał się Całkownik – zdecydujmy
się wreszcie: co robimy?

– Teraz jest mi już wszystko jedno – odparła
uszczęśliwiona Hiacynta. – Niech sobie Hrabina
weźmie i tron, i ojca, i Duda, i... wszystko, co wpadnie jej w ręce. Ja nawet nie mrugnę. Przecież mam
teraz ciebie, Całkowniku, i już nigdy nikomu nie
będę zazdrościć.

– Tym lepsza zabawa! Możemy zrobić wszystko,
co nam wpadnie do głowy, a jeśli nawet nic z tego
nie wyjdzie, wcale nie będziemy się przejmować,
bo nam nie zależy. Proszę cię, pomyślmy – tylko
dla kawału – jakby się tu jej odpłacić.

– Zdaje mi się, że nie chciałabym dzisiaj nikogo skrzywdzić.

– Dobrze, nie skrzywdzimy jej, my ją zagłaskamy. Będziemy jej uniżonymi sługami. Będzie miała wszystko, czego tylko zapragnie.

– Z Królewiczem Dudo włącznie – uśmiechnęła się Hiacynta.

– Świetny pomysł! Wydamy ją za Duda. Twój ojciec pewnie się trochę zdenerwuje, ale nie można zadowolić wszystkich jednocześnie. Czuję, że zanosi się na wyśmienitą zabawę.

Wstali i trzymając się za ręce, powędrowali ścieżyną Treski w stronę Pałacu.

– Aż się boję wyjść z lasu – wyznała Hiacynta. – Żeby się tylko coś nie stało.

– A co takiego mogłoby się stać?

– Nie wiem, ale całe nasze wspólne życie toczyło się dotąd w puszczy i czuję, że świat trochę mnie przeraża.

– Zawsze będę bardzo blisko ciebie, Hiacynto.

– Bądź bardzo blisko, Całkowniku – szepnęła, zanim wyszli spomiędzy drzew.

Jeśli nawet któraś ze służących zdziwiło pojawienie się Całkownika, żadna nie dała tego po sobie poznać. Na tym właśnie polegała ich praca.

– Książę Całkownik zatrzyma się w Pałacu – oznajmiła Księżniczka. – Proszę przygotować dla niego pokój i coś do zjedzenia dla nas obojga.

Jeśli nawet omawiano później to zdarzenie w pomieszczeniach dla służby (a czemuż nie miano by go omawiać?), wszyscy doszli bez wątpienia do jednego wniosku: że Księżniczka Hiacynta (niech Pan Bóg ma w opiece jej uroczą buzię) znalazła wreszcie mężczyznę swojego życia. Wystarczyło przecież zobaczyć, jak ona na niego patrzy. Krzywonóżko nie okazuje mi w tych dociekaniach większej pomocy, udając, że plotka gminna jest poniżej jego godności.

– Słuchaj – powiedział Całkownik, kiedy wchodzili po głównych schodach – ja przecież nie jestem żadnym księciem. Nie powiesz chyba, że cię oszukiwałem.

– Jesteś moim Księciem – odpowiedziała z dumą Hiacynta.

– Moja kochana, jestem dziś królem między mężczyznami, a ty moją królową, ale to tylko w naszej własnej krainie, gdzie nie ma nikogo prócz ciebie i mnie.

– Skoro jesteś taki drobiazgowy – uśmiechnęła się Hiacynta – mój ojciec mianuje cię prawdziwym Księciem, jak tylko wróci do domu.

- Tak myślisz? Nie jestem tego pewien. Przecież on jeszcze nie wie o prezentach, jakie szykujemy Hrabinie.

Ale, ale – najwyższy już czas wracać do Bellafrygi; zostawiliśmy ją nazbyt długo. Odwrotnie niż Dudo, który towarzyszył jej właśnie w ogrodzie, opowiadając już po raz piąty nadzwyczaj nudną historię o swoim spotkaniu ze smokiem, kompletnie – jak to wynikało z opowieści – zidiociałym, której to opowieści Bellafryga słuchała z zainteresowaniem zdumiewającym nawet dla narratora.

- I wtedy – mówił Dudo – skoczyłem znienacka w prawo i kręcąc młynka... nie zaraz, zaraz, to było później – skoczyłem znienacka w lewo... tak, teraz już pamiętam, to była lewa strona... Skoczyłem znienacka w lewo i kręcąc młynka... – Przerwał, zaskoczony wyrazem twarzy Bellafrygi. Hrabina patrzyła na coś, co ukazało się za jego plecami.

- Któż to może być? – uniosła się z miejsca zaciekawiona.

Zanim Dudo zdołał do reszty przegnać smoka ze swoich myśli, Księżniczka i Całkownik wtargnęli w pole widzenia.

- O, Hrabina, spodziewałam się zastać was razem – powitała ich Hiacynta z przewrotną minką.

– Pani pozwoli, że przedstawię jej mojego przyjaciela: Książę Całkownik. Całkowniku, to Hrabina Bellafryga, moja droga i serdeczna przyjaciółka. Królewicza Dudo już znasz. Jego Wysokość i Hrabina są... oficjalnie nic jeszcze nie wiadomo, więc może nie powinnam mówić tego głośno.

Całkownik obdarował zdumioną Bellafrygę głębokim ukłonem.

– Do usług jaśnie pani – powiedział. – Pozwoli pani, że powiem jej, jak dalece uradowała mnie ta nowina. Dudo należy do moich najlepszych przyjaciół. – Tu poklepał Jego Zbaraniałą Mość po plecach. – Prawda, Dudo? Nie wyobrażam sobie bardziej odpowiedniego kawalera. – Skłonił się ponownie i zwrócił do Duda: – No, Dudo, wyglądasz znakomicie. Zupełnie inaczej, Hrabino, niż kiedy go widziałem po raz ostatni. Zaraz, zaraz, kiedy to było?... Chyba na dzień przed jego przybyciem do Euralii. Och, jaką cudotwórczynią jest Prawdziwa Miłość!

Jedną z niezwykłych cech Bellafrygi było to, że nie bała się zachować milczenia, jeśli nie wiedziała akurat, co ma powiedzieć. Milczała zatem, rozważając, co też to wszystko może znaczyć: kim jest Całkownik, co tu robi, a nawet – czy małżeństwo z Dudem nie jest w tej chwili najlepszym wyjściem z sytuacji, na jakie może liczyć.

Dudo tymczasem – jakżeby inaczej – radośnie paplał dalej:

– Właściwie, Księżniczko, nie jesteśmy jeszcze... to jest... Co tu porabiasz, Całkowniku?... Nie wiedziałem, że ty, Księżniczko... Odbywaliśmy właśnie z Hrabiną niewielką... Mówiłem właśnie Hrabinie, co powiedziałaś o... Skąd się tu wziąłeś, Całkowniku?

– Powiemy mu? – Całkownik uśmiechnął się do Hiacynty.

Hiacynta kiwnęła głową.

– Przyjechałem konno – powiedział Całkownik. – To tajemnica – dodał.

– Ale nie sądziłem, że ty...

– Doszliśmy do wniosku, że tak naprawdę znamy się już od bardzo dawna – wyjaśniła Hiacynta.

– I na wieść o weselu... – wtrącił Całkownik.

Bellafryga podjęła decyzję. Całkownik był najwyraźniej mężczyzną zupełnie niepodobnym do Duda. Gdyby pozostał w Euralii na stanowisku doradcy – a raczej, jak się Hrabina spodziewała, więcej niż doradcy – Hiacynty, nie mogłaby żywić najmniejszych złudzeń co do własnej pozycji. Co do

Króla zaś, dzielą go od niej być może miesiące, a kto zagwarantuje, że po powrocie będzie on jeszcze pamiętał Bellafrygę? Zostać Królową Arabii to też nie byle co.

– Nie chcieliśmy na razie tego rozgłaszać – rzekła z zażenowaniem – ale Jej Królewska Mość istotnie odgadła naszą słodką tajemnicę. – Skromnie spuściwszy wzrok i poszukawszy dłoni opornego kochanka, mówiła dalej: – Dudo i ja – tu z całej siły ścisnęła trzymaną dłoń, a stwierdziwszy, że należy ona do Całkownika, jawnie już ujęła rękę Duda, nie bawiąc się więcej w panieńskie ceregiele – Dudo i ja kochamy się.

– Powiedz coś, Dudo – podszepnął Całkownik.

– No... eee, tak – przyznał Dudo z wielką niechęcią, postanawiając, że później wszystko wyjaśni. Niezależnie od tego, jaki charakter miały jego uczucia, nie zamierzał dać się wrobić w małżeństwo.

– Tak się cieszę! – podskoczyła Hiacynta. – Czułam, że to musi nadejść, bo tak często się ostatnio widywaliście. Nieraz rozmawiałam na ten temat z Treską.

(„Co się stało temu dziecku? – zapytywała się w myśli Bellafryga. – To wcale nie dziecko, to dorosła kobieta!")

– Kiedy już Dudo raz się rozochoci – zachwalał przyjaciela Całkownik – nic go nie powstrzyma. – To najprzedniejszy kochanek w całej Arabii.

– Ojciec będzie z pewnością wzruszony tą nowiną – brnęła dalej Hiacynta. – Wie pani zapewne, Hrabino, że Jego Wysokość powraca jutro wraz z całą armią?

Hrabina nie zachwiała się ani nie wydała jęku. Nie poskarżyła się na nagłe przygnębienie lub migrenę. Niezłomnie zniosła największy chyba w swoim życiu szok.

– W takim razie muszę dopilnować, czy w Pałacu wszystko gotowe – oświadczyła. – Jej Królewska Mość wybaczy – dygnęła i już jej nie było.

Całkownik i Hiacynta wymienili spojrzenia. „Niezła zabawa" – mówiły oczy Całkownika.

– Ja też muszę już iść – powiedziała Hiacynta. – Będzie mnóstwo roboty.

Całkownik pozostał w towarzystwie najbardziej zdesperowanego kochanka w całej Arabii.

– Powiedz mi teraz – zaczął Królewicz – co ty tu właściwie robisz.

Całkownik ujął Duda pod ramię i zaczął przechadzać się z nim w tę i z powrotem po kamienistej ścieżce.

– Cała Arabia – mówił – trzęsie się od pogłosek o twoim rychłym weselu. Przybyłem, aby przekonać się naocznie, jak wygląda panna młoda. I stwierdziłem, że jest urocza. Gratuluję ci, mój drogi.

– Nie bądź idiotą. Nie mam najmniejszego zamiaru się z nią żenić.

– To dlaczego opowiadasz wszystkim coś wręcz przeciwnego?

– Doskonale wiesz, że nic podobnego nie mówiłem. Do czasu twojego tu wtargnięcia nie padło na ten temat ani jedno słowo.

– A może to tylko ty o niczym nie słyszałeś? Słyszała Księżniczka, słyszała Hrabina, słyszałem ja – myślę, że możesz spokojnie uwierzyć nam na słowo.

– Nie mam najmniejszego zamiaru... Co się tak czepiasz mojego ramienia?

– Nie mogę się nacieszyć, że cię znowu widzę, drogi przyjacielu. Proszę cię, nie odrzucaj starej przyjaźni tylko dlatego, że znalazłeś teraz szlachetniejszą, prawdziwszą... A zresztą, jeśli chcesz się pozbyć wszystkich dawnych przyjaciół – proszę bardzo. Kiedy ja się ożenię, w moim domu zawsze znajdzie się miejsce dla...

- Zapamiętaj raz na zawsze - przerwał mu ze złością Dudo - że ja się nie żenię. Zostaw już moje ramię, tak też możemy rozmawiać.

- Przepraszam, Dudo - odrzekł pokornie Całkownik. - Zdaje się, że popełniliśmy omyłkę. Przyznasz jednak, że zastaliśmy was w sytuacji nad wyraz kompromitującej.

- Nie było w niej nic kompromitującego - zaprotestował Dudo z godnością. - Jeśli idzie o ścisłość, opowiadałem po prostu o smoku, którego rok temu zabiłem w Arabii.

- A któż byłby w stanie wysłuchać tak beznadziejnie nudnej opowieści poza przyszłą oblubienicą?

- Powtarzam ci raz jeszcze, że nie myślę się żenić.

- Rób jak chcesz, lecz opowiadaniem historii o smoku poważnie skompromitowałeś tę damę. Biedna, niewinna dziewczyna. Ale dość, zapomnijmy o tym. Powiedz mi lepiej, jak ci się podoba w Euralii.

- Dziś po południu wracam do Arabii - odparł Dudo tonem oficjalnym.

- Może i masz słuszność. Ufam, że tym razem nie spotka cię po drodze żadna niespodzianka.

Dudo, który właśnie miał zamiar przestąpić próg Pałacu, odwrócił się ku Całkownikowi z przerażeniem w oczach.

– Co masz na myśli?

– W drodze tutaj coś ci się przydarzyło. Właśnie, jak to się stało? Nie powiedziałeś mi jeszcze.

– To sprawka twojej wspaniałej Hrabiny, z którą, jak twierdzisz, powinienem się ożenić.

– Fe, jak to brzydko z jej strony. Niebezpiecznie zadzierać z taką kobietą. – Całkownik zamilkł na chwilę, po czym dodał z głębokim namysłem: – Można się chyba zdenerwować, jeśli się liczyło na ślub z kimś bardzo kochającym, a potem nic z tego nie wyszło.

Dudo nie pomyślał o tym wcześniej. Starał się pokazać, że sprawa ta ani trochę go nie przeraża.

– Ona nie wszystko potrafi. Ostatnim razem udało jej się przez przypadek.

– No tak, ale przypadek może się powtórzyć. Groźba zawiśnie nad tobą już na zawsze. Ona jest sprytna; jeśli o mnie chodzi, nigdy nie czułbym się bezpieczny, wiedząc, że ta kobieta jest moim wrogiem... Śliczne kwiaty, nieprawdaż? Jak się nazywa tamten?

Ogarnięty wątpliwościami, Dudo osunął się na ławkę. Trzeba było rzecz przemyśleć. Co w gruncie rzeczy można mieć przeciwko Hrabinie? Która go w dodatku otwarcie ubóstwia. To ostatnie było dla Duda naturalnie całkiem zrozumiałe; chodziło jedynie o to, czy godzi się zrobić zawód tej, która miała być może nikłe podstawy, aby sądzić, że... Ale przecież nie przekroczył granic galanterii, jaka przystoi królewiczowi i dobrze ułożonemu kawalerowi w obliczu pięknej kobiety. Jeśli niewłaściwie zrozumiała jego intencje, to wyłącznie jej wina. Powinien był, naturalnie, opuścić Euralię już dawno temu. Lecz nie zrobił tego, a ona... tak, była zdecydowanie piękna... być może poświęcił temu zbyt wiele uwagi. No i cokolwiek zaniedbał Księżniczkę. Z drugiej strony – czemu nie miałby poślubić Hrabiny? Te bajdurzenia Całkownika były z pewnością śmiechu warte, ale nigdy nic nie wiadomo. Nie, żeby miał się żenić ze strachu. Co to, to nie. Uczyni po prostu zadość swej rycerskiej fantazji. Ta nieszczęsna kobieta zrozumiała go opacznie, ale nie można jej sprawić rozczarowania.

– Ona, zdaje się, bardzo lubi kwiaty – odezwał się Całkownik. – Pałacowe ogrody powinny pięknie rozkwitnąć pod waszą wspólną opieką.

– Nie chcę, żebyś mnie źle zrozumiał, Całkowniku. Nie boję się Hrabiny ani trochę.

– Mój drogi Dudo, czy tak przemawia zakochany mężczyzna? A czemuż miałbyś się jej bać? To, co raz już zniosłeś cierpliwie i z godnością, za drugim razem zniósłbyś pewnie jeszcze lepiej.

– Ten temat budzi we mnie wstręt. Jestem zmuszony prosić cię, abyś do niego nie wracał. Jeśli ożenię się z Hrabiną...

– Będziesz bardzo szczęśliwym człowiekiem – dokończył za niego Całkownik. – Przypadkiem wiem, że Król Euralii... a jednak wygląda na to, że wybrała ciebie. Osobiście nie bardzo rozumiem, co ona w tobie widzi. Co to takiego?

– Zdawało mi się, że to oczywiste – uniósł się Dudo. – Myślę, Całkowniku, że może masz rację, może małżeństwo z nią jest istotnie moim obowiązkiem.

Całkownik z powagą ujął jego dłoń.

– Gratuluję Waszej Wysokości. Zakomunikuję tę decyzję Księżniczce. Na pewno bardzo ją to uba... uraduje.

I Całkownik udał się do Pałacu.

Zapłaczcie nad nim, zakochani: nie widział Hiacynty przez blisko dziesięć minut.

Całkownik zna się na opowiadaniach

Cytuję (z niewielkimi zmianami) za Szarlotą Ciasteczną, ówczesną poetką Euralii:

Król Radowłos Picrwszy raźno dosiadł konia:
Czas wracać do domu, wojna już skończona!
Pięciuset wojaków ciągnie za nim ławą.
Idą prawą – lewą, prawą – lewą, prawą.

Cytat ten pochodzi z jedynego, o ile wiadomo, dzieła wspomnianej autorki, które jednak zyskało jej wysoką reputację, a znająca się na rzeczy Bellafryga wysoko oceniła kunszt poetki.

Wojaków było, ściśle mówiąc, tylko czterystu dziewięćdziesięciu dziewięciu. Obiecujący łucznik Henryk Perkatek pozostał bowiem w kraju nieprzyjaciela jako jedyna ofiara wojny. Wysłany na przeszpiegi w pierwszych dniach inwazji, Perkatek dostał się w ręce Naczelnego Zbrojmistrza Barodii, który zdybał go leżącego plackiem na mokrej trawie w poszukiwaniu śladów. Naczelny Zbrojmistrz, człowiek gołębiego serca, zaprosił Perkatka do swej chaty, osuszył go i napoił dla rozgrzewki, po czym oświadczył, że jeśli kiedykolwiek jeszcze szpiegowanie zagna łucznika w te strony, ma on, nie oglądając się na konwenanse, koniecznie znów odwiedzić Zbrojmistrza. Henryk, który zdołał tymczasem rzucić okiem na córkę Naczelnego Zbrojmistrza, przyjął tę propozycję bez fałszywej dumy i odtąd często wpadał do nich na kolację. Po ogłoszeniu końca wojny stwierdził, że nie potrafi porzucić swoich nowych przyjaciół. Za pozwoleniem Króla Radowłosa osiedlił się zatem w Barodii, i to – za pozwoleniem Naczelnego Zbrojmistrza – już jako człowiek żonaty.

Gdy na horyzoncie ukazały się wieże zamku, Radowłos odetchnął głęboko z wielkiej radości. Nareszcie w domu! Trudy wojny miał już za sobą, łupy wojenne (zawinięte w papierek) wiózł w kieszeni, czekały go zaś długie dni dobrze zasłużonego wypoczynku. Spoglądał na każdy znajomy szczegół pejzażu ukochanego kraju i serce przepełniało mu uczucie wdzięczności. Nigdy już, przenigdy nie wyjedzie z Euralii!

Jak dobrze będzie znów zobaczyć Hiacyntę! Biedna, malutka Hiacynta, pozostawiona sama sobie... chociaż nie! – miała przecież u boku wielce doświadczoną i pomocną Hrabinę Bellafrygę. Bellafryga! Zaryzykować czy nie? Czy ona myślała o nim, gdy go tu nie było? Hiacynta wkrótce dorośnie i wyjdzie za mąż. Życie w Euralii stanie się wtedy nudne, chyba że... Zaryzykować – czy nie?

Co na to powie Hiacynta?

Hiacynta oczekiwała go u bram zamku. Prosiła Całkownika, aby jej towarzyszył, ale Całkownik odmówił.

– Trzeba go powoli przygotowywać na radosną nowinę – argumentował. – Kiedy człowiek powraca ze zwycięskiej kampanii, nie lubi, żeby czekały na niego takie niespodzianki. Pomyśl tylko; nie wiemy nawet, dlaczego wojna się skończyła. On na pewno nie może się doczekać, kiedy ci o tym opowie. I nie tylko o tym. Będzie ci miał do opowiedzenia tysiąc rzeczy, a kiedy na koniec zapyta: „A co się tutaj działo pod moją nieobecność? Pewnie nic takiego?" – wtedy będziesz mogła mu opowiedzieć....

– Wtedy powiem: „Nic takiego, tylko Całkownik". I to jaki mądry!

– Mam swoje koncepcje – rzekł Całkownik. – A teraz zaszyję się gdzieś na uboczu. Może pójdę pospacerować po lesie. A może lepiej zostać tu, w ogrodzie Hrabiny, i pogawędzić z Dudem? Tak czy siak, na godzinę zostawiam was samych.

Kawalkada zatrzymała się u stóp zamku. Na murach powiewały ku wojakom chusteczki, zadęto w trąby, psy szczekały.

Hiacynta, cała w złocie i błękitach, zeszła po schodach i rzuciła się ojcu w ramiona.

– Dziecinka moja – mówił Radowłos, klepiąc ją uspokajająco po plecach. – Dobrze już, dobrze! Twój stary ojciec znowu jest w domu. No, już, już! – Poklepał ją raz jeszcze, jakby to ona, a nie on sam, była o krok od płaczu. – Moja malutka Hiacynta! Dziecinka moja kochana!

– Och, tatusiu, tak strasznie się cieszę, że już jesteś.

– Dobrze już, dobrze, córeńko. Muszę teraz powiedzieć parę słów do moich ludzi i zaraz będziemy mogli poopowiadać sobie o wszystkim, co się z nami działo.

Wystąpił krok do przodu i zwrócił się do swoich oddziałów.

– Euralianie! (owacje). Powracamy po długiej i zawziętej batalii (owacje) w ramiona (wzmożone owacje) naszych matek, żon i córek (dłuższe owacje), jak tam komu wypadło. (Racja, racja!) Dla uczczenia naszego wiekopomnego zwycięstwa, mocą mojego dekretu, ogłaszam dzień jutrzejszy świętem w całej Euralii (nieposkromione owacje). Wracajcie teraz do domów i życzę wam, aby każdego spotkało powitanie tak gorące, jak mnie.

Tu odwrócił się, by znów przytulić Hiacyntę, a jeśli nawet wzrok jego powędrował przy tym ponad jej ramieniem, w stronę ogrodu Bellafrygi, do faktu tego nie należy przywiązywać większej wagi, zwłaszcza że odpowiedzialny za to był bez wątpienia architekt zamku.

Zerwała się kolejna burza owacji, pięćset gardeł wydało zawołanie wojenne Euralii: Hej, hej, Radowłos! – i armia z wielkim zadowoleniem rozpierzchła się po domach. Hiacynta i Radowłos weszli do Pałacu.

– A teraz, ojcze – rzekła Hiacynta, kiedy Radowłos przebrał się i posilił – musisz mi opowiedzieć wszystko po kolei. Nie mogę uwierzyć, że to naprawdę koniec.

– Tak, tak. To koniec – zapewnił ją Radowłos. – I zdaje mi się, że z tamtej strony nie zagrażają nam już żadne kłopoty.

– Powiedz: czy Król Barodii cię przeprosił?

– Zrobił coś więcej: abdykował.

– Dlaczego?

– No bo... – Radowłos opamiętał się w samą porę – bo go... yyy... zabiłem.

– Byłeś chyba zbyt surowy.

– Myślę, że nie bardzo go bolało. Zraniłem raczej jego uczucia niż cokolwiek innego. Aha, mam tu coś dla ciebie.

Wyjął z kieszeni małą paczuszkę.

– Ojejku! Co to może być?

Radowłos rozwinął papier, odsłaniając parę ryżawych wąsów, starannie przewiązanych błękitną wstążeczką.

– Ojcze!

Radowłos uniósł lewy wąs, fons et origo* (gdyby znał był łacinę) wojny i uniósł w górę, aby Hiacynta mogła się dokładnie przyjrzeć.

––––––––
* fons et origo (łac.) – źródło i początek.

– Wyraźnie widać miejsce złamania strzałą Henryka Perkatka, o tu – pokazał. – Wyobraź sobie, że Henryk żeni się i osiedla na stałe w Barodii. Zabawne – ciągnął – jak po skończonej wojnie myśli człowieka ciążą ku małżeństwu. – Rzucił okiem na córkę, ciekaw, jak przyjmie jego słowa, ona jednak była wciąż pochłonięta wąsami.

– Co ja z nimi zrobię, ojcze? Nie zasadzę ich przecież w ogródku.

– Myślałem, że można by je wywiesić na maszcie, tak jak to zrobiliśmy w Barodii.

– Czy to wypada, skoro biedak i tak już nie żyje?

Radowłos rozejrzał się uważnie, czy nikt nie podsłuchuje, i zadał córce zagadkowe pytanie:

– Potrafisz dochować tajemnicy?

– Oczywiście – zapewniła go Hiacynta, postanawiając jednocześnie, że powiedzenie Całkownikowi nie będzie miało nic wspólnego ze zdradą sekretu.

– A więc słuchaj.

Opowiedział jej o swojej sekretnej wyprawie do namiotu Króla Barodii; wspomniał o liście Króla Barodii, opisał z detalami swój wcześniejszy pojedynek z wrogim Królem; zrelacjonował wszystko, co mówił i robił, a także wszystko, co mówili i robili inni; opowiadał zaś z radością tak chłopięcą i niewinną, że nawet ze strony kogoś całkiem obcego jedyną reakcją mógł być uśmiech. Hiacyncie wydał się najukochańszym z ojców i najwspanialszym z królów.

Aż wreszcie nadeszła chwila, o której uprzedził Hiacyntę Całkownik.

– A teraz – rzekł Radowłos – ty mi opowiedz, co się tu z wami wszystkimi działo beze mnie? Pewnie nic specjalnego?

Z niecierpliwością czekał na odpowiedź, zastanawiając się przy tym, czy Hiacynta domyśli się, że mówiąc „wszyscy", pytał w znacznej mierze o Bellafrygę.

Hiacynta przysunęła stołeczek do fotela, w którym spoczywał Radowłos, i usiadła bardzo blisko ojca.

– Ojcze – rzekła, gładząc jego dłoń wspartą na kolanie – mam dla ciebie pewną nowinę.

– Mam nadzieję, że nie w związku z Hra... że to nic poważnego – zaniepokoił się Radowłos.

– Dosyć poważnego, ale i dosyć miłego. Czy bardzo byś się gniewał, kochany ojcze, gdybym wkrótce wyszła za mąż?

– Wyjdziesz, moja droga, kiedy tylko zechcesz. Niech no sobie przypomnę... Ostatnio było tutaj w tej sprawie sześciu czy siedmiu książąt. Przydzieliłem im nawet jakieś bohaterskie zadania... zaraz, zaraz – no tak, powinni już dawno być z powrotem! Nic o nich przypadkiem nie słyszałaś?

– Nie, tato – odparła Hiacynta z lekkim uśmieszkiem.

– No cóż, zapewne im się nie powiodło. Ale nic się nie martw, kochaneczko, bez trudu znajdziemy ci mnóstwo nowych konkurentów. Jest to w ogóle ostatnio sprawa bliska moim myślom. Urządzimy jakiś niewielki turniej i powiadomimy o nim okoliczne kraje, a kandydatów z pewnością nie zabraknie. Trzeba by pomyśleć: mamy siedmiogłowego byka – co prawda trochę się nam starzeje, ale dla ostatniego kawalera okazał się w sam raz. Można by...

– Nie potrzebuję szukać konkurenta – wtrąciła cicho Hiacynta. – Ja go już mam.

Radowłos pochylił się ku niej z wielkim przejęciem.

– Ależ, moja miła! To ci dopiero wiadomość! Mów wszystko po kolei. Na jaką wysłałaś go przygodę?

Hiacynta przeczuwała takie pytanie. Gdyby żyła dziś, mogłaby się spodziewać, że ojciec zapyta:

„A ile on zarabia?". Mężczyzna musi w jakiś sposób udowodnić swoją wartość.

– Nigdzie go jeszcze nie wysłałam – odparła. – On się dopiero pojawił. Jest dla mnie bardzo miły i na pewno go pokochasz.

– Czekaj no, czekaj, coś tam dla niego znajdziemy. Może by tak tego byka, o którym właśnie wspomniałem?... A kto to właściwie jest?

– Pochodzi z Arabii, a nazywa się...

– No jasne, Dudo. Że też ja o nim wcześniej nie pomyślałem. Znakomita partia, kochaneczko.

– Nie, tato. To nie Dudo. To Całkownik.

– A któż to taki, ten Całkownik? – zdziwił się Król, tracąc nagle dobry humor.

– Całkownik jest... jest... on jest... Jest tutaj, ojcze! – Podbiegła ku wchodzącemu w drzwi Całkownikowi. – Świetnie trafiłeś! Proszę cię, powiedz ojcu, kim ty właściwie jesteś.

Całkownik skłonił się z namaszczeniem.

– Zanim się wytłumaczę, Wasza Wysokość, niech mi będzie wolno pogratulować Waszej Wysokości wspaniałego zwycięstwa nad Barodianami. Z tego, co tu i ówdzie zasłyszałem, było to najdonioślejsze zwycięstwo w historii. Moim marzeniem jest jednak poznać wydarzenia z ust Waszej Królewskiej Mości.

Czy to prawda, że wyprawił się Wasza Wysokość w środku nocy do namiotu samego Króla Barodii, wyzwał go do walki na śmierć i życie, a następnie pokonał?

Całkownik zadał to pytanie z nader ujmującą żarliwością, tak jakby szczerze zazdrościł Królowi przygody, którą chętnie sam by przeżył.

Radowłos znalazł się w dwuznacznym położeniu. Przez chwilę zastanawiał się, czy nie wyprosić córki z pokoju, mówiąc: „Zostaw nas, moja miła. To męskie sprawy" – ale Hiacynta od razu domyśliłaby się, dlaczego została odesłana, i z pewnością zdradziłaby później Całkownikowi całą prawdę.

Wyglądało więc na to, że i Całkownika trzeba będzie dopuścić do tajemnicy. Król chrząknął głośno tytułem wstępu.

– Z pewnych względów wagi państwowej – oświadczył z godnością – zezwoliliśmy na rozpowszechnianie tej wersji wydarzeń.

– Wasza Wysokość wybaczy. Nie było moją intencją...

– Skoro jednak wie pan już tak wiele, może pan równie dobrze poznać całą prawdę.

Tu raz jeszcze przedstawił opowieść o swojej nocnej wycieczce i liście Króla Barodii.

– Ależ, Wasza Wysokość! – zawołał Całkownik. – Ta wersja jest o niebo wspanialsza od poprzedniej! Co za inwencja, co za błyskotliwa śmiałość wykonania!

– Tak się panu spodobało? – Radowłos starał się zachować skromną minę.

– Wspaniałe!

– Wiedziałam, że mu się spodoba – wtrąciła Hiacynta. – To historia w guście Całkownika. Opowiedz mu jeszcze, jak walczyłeś z Królem Barodii na początku wojny i jak udawałeś świniopasa, i jak...

Któryż ojciec by się oparł? Już po chwili Hiacynta i Całkownik siedzieli zasłuchani u stóp Króla, a on raz jeszcze snuł opowieść o swych przygodach.

– Tak, tak – rzekł na koniec, odebrawszy od słuchaczy dowody podziwu. – To tylko garstka drobnych zdarzeń, jakie przypadły mi w udziale podczas wojny. – Odwrócił się do Całkownika. – Więc chce pan, jak rozumiem, poślubić moją córkę?

– Czy Wasza Wysokość jest tym zdziwiony?

– Prawdę mówiąc, nie bardzo. A ona, rozumiem, chce wyjść za pana?

– Oj, tak, tato, bardzo proszę.

– Co – dorzucił Całkownik – jest znacznie bardziej zdumiewające.

Radowłos niezupełnie się z nim zgadzał. Całkownik wydał mu się przystojny, dobrze ułożony, a ponadto – co Król od razu stwierdził – znał się na opowieściach.

– Będzie pan musiał, naturalnie, na nią zasłużyć.

– Zgadzam się podjąć każde wyzwanie, Wasza Wysokość – odparł Całkownik. – Całe szczęście – dodał z rozbrajającym uśmiechem – że Wasza Wysokość nie może mnie już posłać po wąsy Króla Barodii. Jest tylko jeden człowiek, który mógł sprostać temu zadaniu.

Doprawdy młodzieniec, jakich mało.

– Coś tam wymyślimy. – Radowłosowi wyraźnie pochlebiły ostatnie słowa Całkownika. – Może i Królewicz Dudo zechciałby uczestniczyć w turnieju?

Hiacynta i Całkownik wymienili uśmiechy.

– Niestety, ojcze – westchnęła Księżniczka. – Jego Wysokość Dudo pozostaje nieczuły na moje skromne powaby.

– Poczekaj, aż je sobie obejrzy – zachichotał Radowłos.

– Już widział.

261

- Coś takiego! Zaprosiłaś go do nas? Mów od początku, Hiacynto: przyjechał, aby dotrzymać ci towarzystwa, i nawet...

- Jego Wysokość Królewicz Dudo skierował swe uczucia ku innej – przerwał mu Całkownik.

- Ach, więc to w tym cały sekret! Ciekawe, czy zgadnę, kto to może być. Królewna Elwira z Tregongu? Wiem, że ojciec Duda cokolwiek na to liczył.

- Nie, nie Królewna Elwira – Hiacynta zaczęła się troszkę denerwować.

Król zaśmiał się jowialnie.

- W takim razie powiedzcie mi sami.

Hiacynta wyciągnęła dłoń ku Całkownikowi, który uściskiem dodał jej odwagi.

- Jego Wysokość Królewicz Dudo – oświadczyła – żeni się z Hrabiną Bellafrygą.

Na Duda czai się chytry lis

Bellafryga miała za sobą dwadzieścia cztery godziny rozmyślań.

Niezależnie od wad, cechowało ją poczucie humoru. Nie potrafiła pohamować uśmiechu na wspomnienie sceny w ogrodzie. Wiedziała doskonale, że jej żal z powodu zbyt pochopnych zaręczyn jest drobnostką w porównaniu z żalem Duda. I że Dudo skorzystałby z każdej okazji, aby cofnąć dane słowo.

Czemu więc nie dać mu takiej okazji? „Drogi Królewiczu, obawiam się, że źle tłumaczyłam sobie charakter moich uczuć" – słowa wyrecytowane – jakżeby inaczej? – ze wzrokiem spuszczonym i dziewiczym rumieńcem. Dudo wychodzi pośpiesznie; na scenę wkracza Król Radowłos. Nic prostszego.

Tak, ale wówczas wygrałaby Hiacynta. Hiacynta zmusiła ją do zaręczyn z Dudem, a narzeczeństwo pod przymusem – nawet jeśli miałoby trwać tylko dwadzieścia cztery godziny – było na tę jedną dobę powodem triumfu dla Księżniczki. Gdyby zaś Bellafryga odniosła się do projektu ślubu przychylnie, gdyby udało jej się obrócić go na własną korzyść, sprawić wrażenie, że od dawna marzyła o małżeństwie z Dudem, wówczas triumf Hiacynty przestałby być triumfem, a stałby się porażką.

Trzeba by więc poślubić Duda, udając szczęśliwą? Tak, ale byłaby to mimo wszystko cena zbyt wysoka. Dudo zdążył jej już gruntownie spowszednieć, a poza tym od dawna miała zamiar wyjść za Króla Euralii. Jedynym mądrym wyjściem z sytuacji było udawać, że chce poślubić Duda, aż do chwili, gdy między nim a Królem wybuchnie jawny konflikt, a wówczas, mając u stóp Radowłosa, odesłać precz rywala, który zrobił swoje.

Postanowienie to było rezultatem długotrwałych rozmyślań. Przed podjęciem decyzji Bellafryga zdążyła zrymować „Odę Do Rozpaczy", „Elegię Ku Czci Nieszczęsnej Białogłowy", a także „Triolet Do

Królewiczów Wtrącających Się W Nie Swoje Sprawy". Spróbowała też wyobrazić sobie całkiem serio, jak wyglądałaby w okolonej puszczą maleńkiej chatynce, strojna w melancholijne szarości, za jedynych towarzyszy mająca ptactwo i drzewa. Wieść żywot z dala od próżnego świata, żywot, do którego mężczyźni nie mieliby dostępu – nie był to obraz pozbawiony powabów, ale Bellafryga zdecydowała ostatecznie, że w szarym jest jej nie do twarzy.

Udała się do ogrodu, posyłając po drodze po Królewicza Dudo. Mniej więcej w tej samej chwili, gdy Król słuchał straszliwej nowiny, Dudo perswadował zegarowi słonecznemu, że kocha Bellafrygę, i tylko ją, i że nie może się doczekać dnia, w którym Hrabina uczyni go najszczęśliwszym z mężczyzn. Tak wielki był jego strach przed tym, co mogło go spotkać w drodze powrotnej do Arabii.

– Hrabina Bellafryga! – krzyknął zdumiony Radowłos. – Hrabina Bellafryga ma wyjść za Królewicza Dudo! Jak żyję, nie słyszałem czegoś podobnego! – Popatrzył kolejno na Hiacyntę i Całkownika, jakby to była ich wina. Co się akurat zgadzało. – Czemuś mi o tym wcześniej nie powiedziała, Hiacynto?

– Zaręczyny dopiero co ogłoszono.

– Kto je ogłosił?

Hiacynta i Całkownik wymienili spojrzenia.

– Ten... no... Dudo – bąknął Całkownik.

– Jak żyję, nie słyszałem takiej bzdury! Protestuję!

– Ależ, ojcze, nie wydaje ci się, że byłaby z niej całkiem udana Królowa?

– Niezrównana! Ale to nie ma nic do rzeczy. Chodzi o co innego. Miesiącami biję się w obcym kraju. Przeżywszy chwile niewiarygodnej grozy i... zagrożenia... wracam do domu, by się nacieszyć tymi... no... owocami zwycięstwa. Ledwie przekraczam próg, a już się wszystko na mnie wali.

– Co wszystko, tato? – zapytała Hiacynta z miną niewiniątka.

– Wszystko – wyjaśnił Król, zataczając ręką nieokreślone koło. – Stało się fatalnie. Tak jest: fatalnie. Nie zgadzam się. Słyszysz, Hiacynto? Nie zgadzam się!

– Ależ, ojcze, co można na to poradzić?

Radowłos nie zwracał na nią uwagi.

– Śpieszę do domu – ciągnął wielce urażony – prosto od... tych, no... łupów zwycięstwa, do miejsca, które zawsze uważałem za moje własne, spokojne... yyy... domostwo. I co znajduję? Ktoś tu wybiera się poślubić kogoś innego: nie można spokojnie wymienić niczyjego imienia, bo zaraz się okazuje, że ten ktoś szykuje się do ślubu albo do jakiejś innej bzdury. Bardzo mnie to wytrąciło z równowagi.

– Tato – przerwała mu skruszonym głosem Hiacynta. – A może wybierzesz się do Hrabiny i sam z nią o tym pomówisz?

– Pomyśl tylko: od tygodni wyglądam chwili powrotu do domu, a tu mnie spotyka coś takiego! Cały dzień zmarnowany!

– Tato! – zawołała Hiacynta, wyciągając ku niemu otwarte ramiona.

– Niech mi będzie wolno posłać po jaśnie panią – poprosił Całkownik. – Może ona sama...

– Nie, nie! – Radowłos gestem ręki odsunął ich od siebie. – Jestem z was obojga wielce niezadowolony. To, co mam do zrobienia, potrafię z powodzeniem zrobić sam.

Wyszedł, trzaskając za sobą drzwiami.

Hiacynta i Całkownik spojrzeli na siebie w osłupieniu.

– Coś podobnego! – wykrztusił Całkownik. – Nie mówiłaś mi wcale, że mu na niej aż tak zależy.

– Nie miałam pojęcia! Co możemy teraz zrobić, Całkowniku? Och, jak bym chciała, żeby się pobrali. Ojciec ma rację, byłaby niezrównaną Królową. Och, mój kochany, chciałabym, żeby wszyscy byli tak szczęśliwi jak my.

– Tacy nie będą, ale spróbujemy zrobić dla nich, co się da. Z Dudem załatwię sprawę bez kłopotu. Wystarczy, że powiem: „Królik!" – a zrobi dla mnie wszystko. Zdaje mi się, Hiacynto, że w tym pokoju jeszcze cię nie całowałem. Czas zacząć.

W ogrodzie Bellafrygi Radowłos natknął się na drugą parę kochanków. Siedzieli obok siebie na ławeczce, a Dudo zapewniał Hrabinę, że jest jej kochanym, malutkim Dudusiem-Cudusiem i że już nigdy, przenigdy nie wolno im się rozłączyć. Król na moment zakrył oczy dłonią, jak gdyby nie mógł uwierzyć w to, co widzi.

– Ależ to Jego Wysokość! – poderwała się z miejsca Bellafryga. Złożyła przed Królem głęboki ukłon, zwieńczony czarodziejskim uśmiechem (formalność albo przyjaźń – wolny wybór). – Królewicz Dudo z Arabii, Wasza Wysokość – przedstawiła Duda, dorzucając z zażenowaniem: – Wasza Wysokość słyszał już być może...

– Owszem – burknął Król. – Bardzo mi miło, jak zdrowie? – dodał smętnym głosem.

Dudo oświadczył, że aktualnie miewa się jak najlepiej, i miał szczerą ochotę porozwodzić się nad tym szerzej, lecz Król mu przerwał.

– No cóż, Hrabino – rzekł. – Czekały tu mnie dość niezwykłe wieści. Czy nie przeszkodzę zanadto, siadając obok na małą chwileczkę?

– Wasza Wysokość uczyni nam tym wielki zaszczyt. Dudo, najmilszy mój, czyś odwiedzał ostatnio czaple gniazdo?

– Tak – odparł Dudo.

– O tej porze wygląda zazwyczaj uroczo.

– Rzeczywiście – przyznał Dudo.

Bellafryga nieznacznie wzruszyła ramionami, po czym zwróciła się ku Królowi.

– Nie mogę się doczekać opowieści Waszej Wysokości o wojennych przygodach – wyznała z rozbrajającym zapałem. – Przekazywano mi pozdrowienia od Waszej Wysokości. Jakże to miło, że Wasza Wysokość raczył o mnie pamiętać.

– Tak, tak – wpadł jej w słowo Radowłos z obrażoną miną. – A co mnie za to spotyka? Spotyka mnie...

Tu przerwał i ruchem brwi dał Hrabinie do zrozumienia, że mógłby bardziej szczegółowo wyjaśnić, co takiego go spotkało, gdyby w pobliżu nie było Duda.

– Dudo, najmilszy mój, czy odwiedzałeś ostatnio psiarnię?

– Tak – powiedział Dudo.

– O tej porze dnia jest tam zazwyczaj uroczo – wtrącił Radowłos.

– Ja też tak uważam – ucieszył się Dudo.

– A ja umieram z ciekawości, jak też Wasza Wysokość pokonał Króla Barodii? Czy swoim cudownym zaklęciem?

– Pamiętasz je, Hrabino? Naprawdę?

– Czy pamiętam? Och, Wasza Wysokość! „Ba, bi... Dudo, najmilszy, nie wybrałbyś się przypadkiem do zbrojowni?

– Nie – odparł Dudo.

– Jest tam wiele nowości, które przywiozłem z Barodii – dodał z nadzieją Radowłos.

– Wiele nowości – powtórzyła z naciskiem Bellafryga.

– Obejrzę je później – powiedział Dudo. – Na pewno będą się lepiej prezentować wieczorem.

– Proszę więc mnie tam zaprowadzić, Wasza Wysokość – poprosiła Bellafryga. – Dudo, najmilszy, możesz poczekać na mnie tutaj.

Oddalili się oboje dróżką (biorąc Duda przez zaskoczenie) i zniknąwszy mu z pola widzenia, przemknęli na palcach przez trawnik do innej ławeczki. Bellafryga podążała przodem, z palcem na ustach, Radowłos zaś dreptał za nią z ostrożnością, którą nawet Henryk Perkatek musiałby uznać za przesadną.

– Tępawy trochę ten młody człowiek – zauważył Król, gdy już usiedli obok siebie. – Nie zrozumiał chyba...

– Jest taki zakochany, Wasza Wysokość! Ani przez chwilę nie może się beze mnie obejść.

– Ach, Bellafrygo, cóż to za smutne powitanie. Całymi miesiącami biłem się i trudziłem, snułem plany i intrygi, by na koniec... Ach, Bellafrygo, tacy byliśmy wszyscy szczęśliwi przed wojną.

Bellafryga przypomniała sobie, jak bardzo szczęśliwa była w towarzystwie Królewny i Treski, póki przybycie Duda nie zagroziło ich wspólnemu szczęściu. Jakby na to nie spojrzeć, Dudo wniósł do Euralii element niepokoju.

Ale za wcześnie jeszcze było się go pozbywać.

– Czyż nie jesteśmy nadal szczęśliwi? – zapytała niewinnie. – Księżniczka ze swoim młodym Księciem, ja z ukochanym Dudem, Wasza Wysokość

z Lordem Kanclerzem i tłumem wiernych poddanych.

Jego Wysokość westchnął głęboko.

– Jestem bardzo samotny, Bellafrygo. Kiedy
Hiacynta mnie opuści, nie będę miał już nikogo.

Bellafryga postanowiła postawić wszystko na
jedną kartę.

– Wasza Wysokość powinien się powtórnie ożenić – powiedziała słodko.

Rzucił jej spojrzenie pełne treści nie do wypo-
wiedzenia. Otworzył nawet usta w nadziei, że jeśli
bardzo się postara, zdoła może coś z siebie wydobyć, gdy nagle...

– Nie przy Dudzie – ostrzegła go szeptem Bellafryga.

Radowłos wstał z urażoną miną i aż jęknął na
widok spieszącego ku nim przez trawnik Królewicza.

– Słowo daję! – powiedział. – Co to za miejsce!
Nie można nawet... A, to Wasza Wysokość! Wasza
Wysokość zwiedził już zbrojownię? To jest – poprawił się, skarcony spojrzeniem przez Bellafrygę – czy
my oboje odwiedziliśmy już zbrojownię? Tak jest,
byliśmy tam. Hrabina wyraziła głębokie zaintere-
sowanie zbiorami.

– Nie wątpię, Wasza Wysokość – rzekł Dudo. Następnie zwrócił się do Bellafrygi: – Nasza domowa zbrojownia też ci się pewnie spodoba, kochanie.

Bellafryga kątem oka sprawdziła, czy Król na nią patrzy, a upewniwszy się, że tak, czule pogłaskała dłoń Duda.

– Domowa – rozmarzyła się – Jakże to słodko brzmi!

Król zadrżał, jakby rażony bólem, i oddalił się pospiesznie.

– Wasza Wysokość mnie wzywał? – Był to głos Całkownika.

Król przerwał chodzenie z kąta w kąt i dostrzegł młodzieńca stojącego w drzwiach biblioteki.

– Ach tak, tak – zmitygował się. – Proszę siąść tutaj wygodnie. Chcę z panem pomówić o tym małżeństwie.

– O którym, Wasza Wysokość?

– O którym? O waszym, naturalnie, to jest... o Bellafrydze... a raczej... – Zatrzymał się na wprost Całkownika i spojrzał mu głęboko w oczy. – W pewnym sensie o jednym i o drugim.

Całkownik kiwnął głową.

– Chce pan poślubić moją córkę – ciągnął Radowłos. – Jak pan zapewne wie, obyczaj nakazuje,
abym temu, komu oddaję swoją córkę, dał również
pół Królestwa. Zrozumiałe chyba, że nim się zdobędę na to poświęcenie, muszę być pewien, że
człowiek, któremu... myślę, że się rozumiemy.

– Że wart jest Księżniczki Hiacynty – dokończył
za niego Całkownik. – To, naturalnie, niemożliwe
– dodał z uśmiechem.

– Księżniczki, a t a k ż e połowy Królestwa – poprawił go Radowłos. – Obyczaj nakazuje też, jak mi
się zdaje, aby taki człowiek poddał się próbie.

– Cokolwiek Wasza Miłość zaproponuje...

– Nie wątpię.

Przesunął fotel w pobliże Całkownika, a zasiadł-
szy w nim, oparł dłonie na kolanach i jął wyjaśniać
charakter próby, jaka oczekiwała szczęśliwego konkurenta.

– Normalnie pomyślałabym o jakiejś historii ze
smokiem czy o czymś w tym stylu. Świadomość takiej próby zazwyczaj pomaga konkurentowi dojść
do wniosku – zanim zrobi się za późno – że to, co
brał za prawdziwą miłość, nie ma nic wspólnego
z autentycznym uczuciem. W pańskim przypadku,
mam poczucie, taka próba nie jest konieczna.

Całkownik skłonił się z galanterią.

– Nie wątpię w pańską dzielność, dlatego też wolę zażądać od pana dowodu przebiegłości. W dzisiejszych czasach właśnie przebiegłość urosła do rangi najbardziej pożądanej zalety głowy państwa. Doskonałą ilustrację tej tezy mieliśmy – ciągnął niedbale – podczas zakończonej właśnie wojny z Barodią, kiedy to o losach całego konfliktu zbrojnego przesądził bagatelny z pozoru pomysł, który...

– Pomysł niezrównany, Wasza Wysokość.

– Bez przesady, bez przesady – Radowłos był wyraźnie uszczęśliwiony. – Traf chciał, że się udało, i tyle. Właśnie to miałem na myśli, mówiąc, że spryt może znaczyć więcej niż męstwo. Zanim otrzyma pan rękę mojej córki i pół Królestwa, będzie się pan musiał wykazać sprytem niemal nadludzkim.

Król przerwał, Całkownik zaś wykorzystał tę chwilę, by ubrać swe szczere zazwyczaj i sympatyczne oblicze w wyraz nieludzkiej przebiegłości.

– Dowiedziesz, żeś wart tego, o co prosisz – oświadczył uroczyście Radowłos – jeśli zdołasz nakłonić Królewicza Dudo, aby powrócił do Arabii... sam.

Całkownika zatkało. Zadanie wydawało się tak proste, że aż wstyd mu było przyjąć je jako warunek małżeństwa z Hiacyntą. Nie potrzebował żadnych nadludzkich zdolności, aby przekonać Duda do tego, o czym sam Dudo marzył najgoręcej. Całkownik był przez moment bliski wyjawienia Królowi całej prawdy, ale zdołał się powstrzymać. „W końcu – pomyślał – skoro Król pragnie dowodów sprytu, wyciągnięcie ogromnych korzyści z wykonania dziecinnie prostego zadania będzie takim właśnie dowodem".

Radowłos w prostocie swojej źle zrozumiał jego zażenowanie.

– Widzę – rzekł – że przeraża pana trudność próby, na jaką go wystawiłem. To mnie nie dziwi. Pańska znajomość z Jego Wysokością trwa dłużej niż moja, a jednak nawet mnie, po tak krótkiej z nim znajomości, uderzyła wyjątkowa niewrażliwość Królewicza na aluzje. Uzmysłowić mu z odpowiednią dozą taktu i stanowczości, że kraj gwałtownie go potrzebuje – i to samego – może się okazać zadaniem trudnym nawet dla najchytrzejszego z lisów.

– Postaram się sprostać temu zadaniu – obiecał chytry lis.

Król podskoczył i z animuszem potrząsnął jego dłonią.

– Myśli pan, że się uda? – spytał przejęty.

– Jeśli Królewicz Dudo nie wyruszy jutro do Arabii...

– Sam – podpowiedział Radowłos.

– Sam... wówczas uznam, że nie sprostam zadaniu.

– Coś mi się zdaje, kochaneczko – rzekł Król do córki, gdy całowała go na dobranoc – że zostaniesz żoną bardzo łebskiego młodzieńca.

– Jasne, tato.

– I mam nadzieję, że będziesz z nim równie szczęśliwa, jak ja z... jak ja byłem z twoją matką. „Chociaż – dodał w myśli – nie mam pojęcia, jak on tego dokona".

Dzieło Krzywonóżki
powraca na półkę

Radowłos, Król Euralii Wschodniej, zasiadł do śniadania na zamkowej baszcie. Uniósłszy złotą pokrywę ze złotego półmiska, wybrał dorodnego pstrąga i przeniósł go starannie na swój złoty talerz. Gdy ma się ciotkę... Ale nie potrzebuję chyba tego powtarzać.

Całkownik, Król Euralii Zachodniej, zasiadł do śniadania na murach s w o j e g o zamku. Uniósłszy złotą pokrywę ze złotego półmiska, wybrał dorodnego pstrąga i przeniósł go starannie na swój złoty talerz. Gdy ma się teścia, którego ciotka...

Dudo, Królewicz Arabii, zasiadł do śniadania... Stop. Gdzieś trzeba skończyć. Od tej chwili odmawiam towarzyszenia Dudowi przy jakimkolwiek posiłku. I tak za wiele już było w tej książce jedzenia i picia, a ściślej mówiąc – wszystkiego za wiele. Na szczęście zbliża się czas pożegnania.

Najpierw szybciutko odprawimy Duda do Arabii. Jego wyjazd z Euralii miał charakter nagły: w ciągu pięciu minut Całkownik przekonał go, że błędnie tłumaczył zachowanie Bellafrygi, wobec czego może bez żadnych obaw wracać do Arabii.

– Proszę nas jeszcze kiedyś koniecznie odwiedzić – zapraszał serdecznie Radowłos, potrząsając dłonią Królewicza.

– Koniecznie – dodała Hiacynta.

Zaproszenie takie można wymówić na dwa sposoby; Król i Hiacynta posłużyli się tym drugim, podobnie jak Dudo, gdy zapewniał ich, że uczyni to z największą przyjemnością.

Zaledwie w tydzień później w Euralii świętowano słynne podwójne wesele. Jako okazja do przemówień (dla Króla Radowłosa) i do szastania pieniędzmi (dla Bellafrygi) dzień ten domagał się (z pozytywnym skutkiem) oddzielnego rozdziału w kronikach Krzywonóżki. Krzywonóżko staje nareszcie po mojej stronie: musi przyznać Królowej te cnoty, których uparcie odmawiał Hrabinie.

Hiacynta też pozbyła się uprzedzeń wobec Bellafrygi. Bellafryga na swoim rumaku, z roześmianymi oczami i rumieńcem na policzkach, z ustami rozchylonymi z przejęcia, gdy ciskała w tłum garście srebra, uroczo świadoma własnej dziecinności, a zarazem triumfująca, nie mogła mieć tego dnia żadnych wrogów.

– Jest urocza – rzekła Hiacynta do Całkownika. – Będzie znakomitą Królową.

– Znam Królową, której ta do pięt nie dorasta – oświadczył Całkownik.

– Ale podoba ci się Bellafryga, prawda?

– Nieszczególnie.

– Och, Całkowniku, to nieładnie – upomniała go Hiacynta, chociaż w głębi duszy poczuła się bardzo szczęśliwa.

Następnego dnia odjechali do swojego Królestwa. Dla Kanclerza zakończył się tydzień wielkich emocji; przez siedem wieczorów z rzędu zachowywał się wobec żony tajemniczo i z rezerwą, aż wreszcie ósmego dnia zakończył robotę. Król Radowłos został władcą Euralii Wschodniej, Król Całkownik zaś – Zachodniej.

Nim staniemy się świadkami ostatniej sceny, rzućmy jeszcze okiem do dziennika Bellafrygi.

Wtorek. Piętnasty września. Stałam się dobra.

A zatem – ostatnia scena.

Król Radowłos siedział w ogrodzie Bellafrygi. Ranek spędzili na korekcie swego wspólnego tomu wierszy, który miał zostać wkrótce opublikowany.

Na początek szedł wiersz autorstwa Radowłosa:

*Ba, bi, bo, bam
La, li, lo, lam.*

Autorzy podkreślali to w przypisie, że dwuwiersz ten można czytać od początku albo od końca. Pozostałe utwory wyszły głównie spod pióra Bellafrygi, a współautorstwo Radowłosa ograniczało się w nich do „Świetnie!" albo „To mi się nie podoba", kiedy Bellafryga mu je czytała. Poemat przypisywany powszechnie Szarlocie Ciastecznej też jakimś cudem dostał się do antologii.

– Jakiś osobnik chce się widzieć z Jego Wysokością – obwieścił herold, pojawiając się przed nim znienacka.

– Co za osobnik? – zapytał Radowłos.

– Jakiś osobnik, Wasza Wysokość.

– Każ go wprowadzić, kochanie – powiedziała Bellafryga, unosząc się z miejsca. – Mam coś do załatwienia w Pałacu.

Oddaliła się, a wkrótce potem nadszedł herold w towarzystwie przybysza. Gość odznaczał się miłą powierzchownością i pyzatą, gładko ogoloną twarzą; sądząc po stroju, musiał mieć do czynienia z rolnictwem.

– Słucham – powitał go Radowłos.

– Mam życzenie zostać świniopasem Waszej Wysokości – odparł przybysz.

– Co wiesz o świniopasaniu?

– Mam ku temu zajęciu wrodzone skłonności, aczkolwiek nigdy jeszcze nie pracowałem w tej branży.

– To dokładnie tak jak ja. Niech no się zastanowię... W jaki sposób...

Przybysz wydobył sporą czerwoną chustkę i otarł nią czoło.

– Wasza Wysokość życzy sobie zadać mi kilka pytań?

– Zrozumiałe chyba, że chciałbym...

– Pokornie prosiłbym nie. Błagam Waszą Wysokość na wszystkie świętości: niech mnie Wasza Wysokość nie dręczy pytaniami. – Wyprostował się i z całej siły rąbnął pięścią w pierś. – Instynkt mi mówi, że umiem paść świnie. To wystarczy.

Radowłos zaczął nabierać do niego sympatii: czuł dokładnie to samo.

– Przeprowadziłem niegdyś długą, pełną technicznych szczegółów konwersację z pewnym świniopasem – Radowłos uśmiechnął się do wspomnień – podczas której doszliśmy do wniosku, że sporo nas łączy. To wielce budujące zajęcie.

– W identyczny sposób i ja odkryłem w sobie żyłkę do świniopasania – rzekł przybysz.

– Co za zbieg okoliczności! Wie pan, coś w pańskiej twarzy wydaje mi się znajome.

Przybysz postawił na szczerość.

– Moją twarz zawdzięczam Waszej Wysokości.

Radowłos nie zrozumiał.

– Krótko mówiąc – wyjaśnił gość – jestem byłym Królem Barodii.

Radowłos pochwycił jego dłoń.

– Ależ, oczywiście! Jasne, że to pan! Ach, wspomnienia, wspomnienia... Ośmielę się stwierdzić, że nowy tryb życia bardzo panu posłużył. Jestem doprawdy uszczęśliwiony, że znów się spotykamy. Musi mi pan wszystko opowiedzieć. Najpierw jednak przekąsimy co nieco.

Na wzmiankę o „przekąszeniu" były Król Barodii załamał się doszczętnie i tylko uspokajające po-
mruki i poklepywania ze strony Radowłosa, a także (nieco później) rzeczona „przekąska" zdołały go
powstrzymać od zalania się łzami.

– Przyjacielu miły – rzekł, po raz ostatni ociera-
jąc usta. – Uratowałeś mi życie.

– O co właściwie chodzi? – zapytał zdezoriento-
wany Radowłos.

– Słuchaj uważnie, a wszystko ci wyjaśnię.

Opowiedział mu o historycznej decyzji, którą
podjął owego pamiętnego ranka, kiedy to zbudził
się bezwąsy. Od tej chwili Barodia nie miałaby
z niego jako króla żadnego pożytku, on sam zaś
marzył jedynie o tym, by rozpocząć nowe życie
w roli świniopasa.

– Miałem wrodzony talent – przekonywał Radowłosa ze łzami w oczach. – Prawdziwy instynkt do
tej roboty. Niezależnie od tego, co sądzili inni – a są-
dy ich były bezlitosne – jestem pewien swojej wrodzo-
nej smykałki. Przecież mam na to dowody; o pomył-
ce nie może być mowy.

– No i?

– Wyśmiewali się ze mnie. Zadawali mi pod-
chwytliwe pytania, takie małostkowe pytanka: a co

jedzą świnie i tak dalej. Obca im była ogólna teoria świniopasania, to, co nazwałbym sztuką pasania świń, teoria światłego zarządzania trzodą chlewną. Naśmiewali się ze mnie, a potem drwiną i kuksańcami wyganiali mnie na śmierć głodową.

Radowłos ze współczuciem poklepał go po ramieniu, namawiając jednocześnie, by wziął sobie dokładkę.

– Przemierzyłem Barodię wzdłuż i wszerz. Nigdzie nie chcieli przyjąć mnie do pracy. To straszne, mój drogi Radowłosie, kiedy zaczyna się tracić wiarę w siebie. W końcu zmuszony byłem powiedzieć sobie, że w świniach barodyjskich jest coś, co różni je od reszty świń na świecie. Przybycie do Euralii potraktowałam jako ostatnią deskę ratunku. Jeśli i tutaj spotkam się ze wzgardą, uwierzę, że...

– Chwileczkę – przerwał mu z ożywieniem Radowłos. – Co to był za świniopas, ten, z którym rozmawiałeś?

– Było ich bardzo wielu – odparł smutno niedoszły świniopas. – Wszyscy ze mnie kpili.

– Ale ten pierwszy, ten, który pozwolił ci dostrzec w sobie żyłkę świniopasa? Czyś nie wspomniał przypadkiem?...

285

- Ach, tamten! To było na początku naszej wojny. Pamiętasz, mówiłeś mi, że twój świniopas nosi pelerynę niewidkę. To był właśnie on...

Radowłos spojrzał na niego z żalem i pokręcił głową.

- Mój biedny przyjacielu... To byłem ja.

Spojrzeli sobie w oczy. Każdy z osobna przebiegł w myślach szczegóły pamiętnego spotkania.

- Tak - mruknęli jednocześnie. - To byliśmy my.

Król Barodii pomyślał o długich miesiącach goryczy, jakie nastąpiły po tamtym spotkaniu.

Aż się wzdrygnął na wspomnienie bzdur, jakie wygadywał. Doznane drwiny przestały nagle znaczyć tak wiele.

- Więc nie jestem nawet świniopasem! - zauważył z rozpaczą.

- No, no - uspokajał go Radowłos. - Spójrz na wszystko od jasnej strony: zawsze możesz z powrotem zostać królem.

Były Król Barodii pokręcił przecząco głową.

- Byłoby to wielkie upokorzenie dla człowieka, który posiada jeszcze choć ślad dumy - odparł. - Nie, pozostanę przy wybranym zawodzie. Ostatnie tygodnie czegoś mnie w końcu nauczyły: wiem już przynajmniej, że to, co wiem, nie jest warte wiedzy – a to zawsze coś.

– A więc zostań u mnie – zaproponował serdecznie Radowłos. – Mój świniopas wyuczy cię zawodu, a gdy przejdzie na emeryturę, ty obejmiesz jego rolę.

– Naprawdę?

– Oczywiście. Będzie mi bardzo miło mieć cię tu przy sobie. Wieczorami, kiedy świnie już zasną, będziesz mógł wpaść do mnie na małą pogawędkę.

– Dzięki – rzekł świeżo mianowany terminator. – Dzięki, Wasza Wysokość.

Uścisnęli sobie dłonie.

– Moja droga – rzekł wieczorem Radowłos do Bellafrygi. – Nie wyszłaś za mąż za człowieka wielkiego rozumu. Dziś po południu przekonałem się, że nie jestem nawet tak mądry, jak mi się zdawało.

– Król nie musi być mądry – uśmiechnęła się czule Bellafryga.

– A jaki musi być?

– Po prostu kochany.

*

I to już koniec mojej opowieści. Z westchnieniem sprzątam z biurka siedemnastotomową „Historię

Euralii" i tom po tomie odnoszę ją w drugi koniec biblioteki, gdzie starannie ustawiam księgi na specjalnie dla nich przeznaczonej półce. Przez długie miesiące były one barykadą między mną a światem; ukryty za nimi, żyłem w odległych czasach, obok Radowłosa, Hiacynty i Wielmożnej Bellafrygi.

Barykady już nie ma, a obraz tamtych wydarzeń blednie z wolna w świetle dnia dzisiejszego, które zalewa blat mojego biurka. Dawno, dawno temu...

Tylko jedną postać wciąż widzę wyraźnie: chudy, tyczkowaty, o kościstej twarzy, w której dominuje wydatny, wścibski nos; włosy w strąkach, zrudziały tużurek, który dawno nie oglądał szczotki do ubrania, poplamione getry, podkreślające rachityczność nóg. To Krzywonóżko zdąża do Pałacu po ostatnie nowiny.

Z nim także muszę się pożegnać. Żegnam go nie bez skruchy, świadom, że bywałem dla niego zbyt surowy, choć tyle mu zawdzięczam. Może nie będzie to rozstanie na zawsze: w siedemnastu tomach kroniki Krzywonóżki pozostało wszak wiele jeszcze opowieści. Następnym razem (jeśli do niego dojdzie) przyrzekam trzymać się na uboczu, aby Krzywonóżko mógł opowiadać po swojemu. Na pewno byłby temu rad.

Nie będzie to jednak opowieść o Bellafrydze. Spotkałem Bellafrygę (lub osobę uderzająco do niej podobną) zeszłego lata w Shropshire i pewien jestem, że Krzywonóżko nigdy nie zdołałby jej przedstawić we właściwym świetle.

Spis rozdziałów

Wydawnictwo NASZA KSIĘGARNIA Sp. z o.o.
02-868 Warszawa, ul. Sarabandy 24c
tel. 022 643 93 89, 022 331 91 49
faks 022 643 70 28
e-mail: naszaksiegarnia@nk.com.pl

Dział Handlowy
tel. 022 331 91 55, tel./faks 022 643 64 42
Sprzedaż wysyłkowa
tel. 022 641 56 32
e-mail: sklep.wysylkowy@nk.com.pl   **www.nk.com.pl**

Redaktor **Wiesława Skład**
Redaktor techniczny **Joanna Wieczorek**
Korekta **Joanna Morawska, Joanna Egert-Romanowska**
Skład i łamanie **Mariusz Brusiewicz**

ISBN 978-83-10-11415-0

PRINTED IN POLAND

Wydawnictwo „Nasza Księgarnia", Warszawa 2007 r.
Wydanie poprawione
Druk: Zakład Poligraficzno-Wydawniczy POZKAL, Inowrocław